もしトランプが米大統領に復活したら

If Donald Trump becomes President of the United States again

The End of U.S. Domination of Japan

アメリカによる日本支配の終焉

Benjamin Fulford

ベンジャミン・フルフォード

宝島社

はじめに

今、世界は鉄道列車が脱線事故を起こしているような状況にあり、我々はその様子をスローモーションで見ている。すべてのものが一斉に飛ばされていって、そのあとには、これまでとまったく違う光景が広がることになる。激動の只中を生きていると、物事のすべてがゆっくりと動いているように見え、実際に何が起こっているかはわからない。しかし、未来の歴史学者が今の世界を見れば、「あっという間に世界が変わった」と言うだろう。

本書はそのような、今後起こるであろう世界の変革について解説している。今、目の前で起きているトピックの一つひとつはすべてが繋がり、いずれ大きな流れになる。

この時に、キーマンとなるのが、第45代アメリカ合衆国大統領にして次期大統領候補のドナルド・トランプだ。

トランプは、アメリカやヨーロッパの劇的な変化や、ウクライナや中東で起きていることの結末においても、その象徴的な存在として影響力を持つことになるだろう。

ただし、これは「トランプが世界を変える」というシンプルな話ではない。世界を変革しようという勢力はトランプを救世主としてまつり上げ、逆に、これまでの世界を牛耳ってきた別の勢力はトランプを諸悪の根源として糾弾することになる。

よく「トランプは世界を分断する」と言われるが、すでに分断は起きている。トランプは、その分断によってエリート層に虐げられてきた一般の人々の声を代弁し、これまでエリートが築き上げてきた世界を破壊する狼煙となる。そしてこの破壊は、世界の大半の人々にとって悪いことではない。

日本の報道はあいかわらずトランプを「独善的な暴君」のように伝える。日本の大手マスコミは独自の判断能力や権限を持たず、世界を支配してきたエリートたちに都合のいい大本営発表をそのまま報じるだけだからだ。

よく私の使うたとえ話に、次のようなものがある——動物の言葉をしゃべる男が動物園へ行ってジョークを言うとみんなは笑っているのにロバだけは黙っている。次の日、他の動物たちはみんな静かになっていたが、ロバだけが笑っていた。それで「何を笑っているのか」と尋ねると、ロバは「昨日、聞いたジョークの意味がやっと今わかった」と話した。

日本の大手マスコミは、このたとえ話のロバのようにものすごく遅れている。たとえば「移民受け入れ」「昆虫食」などの方針が世界を動かすエリートから伝えられると、疑いなく報じる。そこに大局観はなく、世界の風潮も読めないため、その方針が時代遅れになっていたとしても、そのまま繰り返し報道するだけになる。日本の大手マスコミは、海外の大手マスコミに比べておよそ1年は遅れているとみていい。いまだにSDGsがどうこうと言っているのは、もはや世界のなかで日本だけである。

だから日本のテレビも新聞も、現在の米政府の意を酌んでトランプ批判一辺倒なのだが、「トランプがいかに間違っているか」という報道も、よくよく内容を聞いてみれば具体的にどこが間違っているかは言わない。米政府に「トランプは悪いヤツだと言え」と誘導されて、それをそのまま言っているだけなのだ。日本人には英語を読解しない人が多いため、このやり方がこれまでは通用してきた。

マスコミにかぎった話ではなく、政治家も同じだ。米軍が管理するニュー山王ホテル（東京都港区に所在する在日米軍の施設）から出る指令に唯々諾々と従っているだけだ。

本書を手に取った読者には、そんな日本のマスコミ報道や政治家の言葉を鵜呑みにせず、自らの目でトランプを知ろうとしてほしい。トランプ周辺の動きを見れば、現在のリアルな世界情勢はより明確になる。そう、激変する世界を生き抜くために、今こそ真のトランプを知ることが必要なのだ。

2024年4月

ベンジャミン・フルフォード

目次

もしトランプが米大統領に復活したら
アメリカによる日本支配の終焉

序章

世界はなぜ「もしトラ」に突き進むのか

第1章

「もしトラ」最大の衝撃は〝アメリカの消滅〟

第2章

「もしトラ」で〝激変〟する世界情勢

第3章

「もしトラ」で完全〝復活〟する日本

第4章 「もしトラ」で完全〝駆逐〟される旧支配者たち

終章 「もしトラ」後の世界と希望の未来

［カバー・表紙デザイン］三森健太（ＪＵＮＧＬＥ）
［カバー写真］ロイター／アフロ
［本文デザイン＆ＤＴＰ］武中祐紀
［編集］片山恵悟（スノーセブン）

序章
世界はなぜ「もしトラ」に突き進むのか

多くの米国民を〝目覚め〟させたトランプ

2024年3月5日のスーパーチューズデーで圧勝し、来る11月の米大統領選挙に向けて、共和党からの指名獲得をほぼ手中にしたドナルド・トランプ。第47代大統領としての再選も現実味を帯びてきた。

日本のテレビや新聞はあいかわらずトランプ批判一辺倒だが、アメリカ現地での支持は根強い。

ただし、これはトランプを完全に信頼しているからというわけではない。現在も米国民の間では、トランプを2021年の「米議会占拠事件」の首謀者と考える者が多い。加えてトランプは「機密文書持ち出し」「不倫口止め料」などの容疑で4回の刑事訴追を受け、合計91件の罪に問われており、そうしたスキャンダルによる人間性への不信感は根強くある。

それでもトランプが圧倒的な支持を受けるのは、ジョー・バイデン政権下のアメリカの現状があまりにもひどすぎるためだ。

多くの米国民が激しいインフレによって生活を脅かされ続けているが、バイデンはＧＤＰの上昇だけを持ち出して「経済政策の成功」を言ってはばからない。いくらＧＤＰが成長しているといっても、それは金融の世界のことだけで、実生活はまったく楽にならない。そんな状況に不満を持つ貧困層や、これまではバイデンを支持してきたヒスパニックや黒人たちのグループでも、トランプ支持へ転向する者が増加している。

そんなトランプ人気にストップをかけようとする反対勢力によって、メーン州、イリノイ州、コロラド州で「トランプの米大統領選に向けた共和党予備選での立候補資格を認めない」とする動きがあった。そしてコロラド州の最高裁判所は２０２３年12月に、「トランプが２０２１年の米議会占拠事件に関わった」と認定し、反乱に関与した者が官職に就くことを禁じたアメリカ合衆国憲法に抵触するとして、立候補を認めない判断を下していた。

だが、トランプの上告を受けた連邦最高裁は、コロラド州最高裁の判決を破棄して、立候補を認める決定を下している。

こうして現在、トランプはアメリカ再生への期待を一身に受ける形になっているが、トランプ大統領が誕生したからといって、いきなりすべてが好転して、次の日からハッピーな世界になるというような話ではない。トランプの様々な発言によって米国民たちの多くが「今のままではダメだ」と気づくきっかけとなった、というのが正解なのだ。

ディープ・ステートやフェイクニュースという言葉を、公的な立場から初めて口にしたのはトランプであり、これにより「目に見えるものを全部信じていいわけじゃない」「マスコミが報じない真実があるんだ」ということを米国民と世界に広く認識させた。これにより目覚めたトランプの支持者たちは「トランプが今の苦しいアメリカを変えてくれる」と信じて、その一挙手一投足に快哉の声を上げている。

だが現代のアメリカが抱えている問題は、政策的な何かを講じて改善できるようなものではない。かつての豊かな生活を取り戻すには、改善ではなく、一度完全に潰して再起動するしか方法はないのだ。

完全な〝カオス状態〟になっているアメリカ

現在、アメリカでは、エリート層であるアップルとグーグルの社員が通勤のためにバスに乗ると、そのバスに石が投げられる。富裕層の所持する空き家の多くは、ホームレスが占拠して勝手に住みついている。ウォール街で働くエリート層の人たちは、ギャングやホームレスに襲われないように、わざと汚い服装をして街中を歩いている。

また、小売店は万引きが頻発するせいで営業ができなくなっている。これは刑事司法制度改革として、軽犯罪に対する罰則を軽減する動きがあるためだ。たとえばカリフォルニア州では2014年に、被害額が950ドル以下の品物を万引きしても、初犯の場合は起訴せず、社会奉仕などの代替処分で済ませることが可能になった。そこから状況は悪化の一途をたどり、今では万引き犯が逮捕されること自体が激減している。サンフランシスコの一部スーパーマーケットでは、10分に1人が商品を万引きするような状況になっており、続々と店を閉めている。

　これは西海岸にかぎったことではなく、万引きなど軽犯罪に対する処罰の軽減は、今やアメリカ全土に広がってきている。刑務所は暴行や薬物中毒などの犯罪者でいっぱいという状態で、万引き犯にまで警察や司法の手が回らなくなっている。だからマクドナルドのような店舗では誰も働きたがらない。低賃金で労働をするよりも、万引きで生活をするほうがいいのだ。

　日本のメディアは「アメリカの時給は日本の2倍だ」とまるで素晴らしいことのように報じるが、いくら時給が日本より高くても、とてつもないインフレによって、その賃金では生活ができないのだからどうしようもない。

　アメリカは完全なカオス状態になっており、「問題を解決するには、エスタブリッシュメント（支配階級）をみんな電信柱に吊るすしかない」などと乱暴なことを言う者も大勢いる。思想信条や善悪に関係なく、富裕層というだけで、貧困層の手によって処刑される。この時、格差問題の根底をユダヤ人のせいだと考える人は一定数いる。

　なぜユダヤ人かというと、金持ちのイメージが強いし、ユダヤロビーという存在に対するイメージも悪い。とくに若い世代のなかでその傾向が強い。「悪いユダヤ人が現体制を裏で動かし、自分たちだけで金儲けをしている」と思われているのだ。

上の世代は子供の頃から「ユダヤはナチスのかわいそうな被害者」と教育され、それを完全に信じているが、若い世代はSNSなどを介して、それ以外の情報も目にするようになった。世界に約1600万人いるユダヤ人のうち、私が「ハザール・マフィア（＝ディープ・ステート）」と称する、世界の裏側で悪事を働いている集団は100万人程度で、善良なユダヤ人からすると「一緒にしないでくれ」と言いたくなる。

たとえるなら、日本のヤクザが海外のどこかの都市で悪さをしていることで、日本人みんなが吊るされるような状況だ。「ヤクザと一般の日本人とは関係ない」といくら言っても、一度生じた被害者意識は簡単に払しょくできない。そういう理不尽なことが、アメリカのユダヤ人に対して起きているのだ。

トランプは米軍良心派のスポークスマン

そんな地獄のような状況となったアメリカで、トランプは「とにかく悪いヤツらをやっつけてくれるに違いない」という期待から大きな支持を得ている。

演説などを聞くとトランプは、具体的なアメリカ再生に向けた政策を話すことはほとんどなく、ただ「バイデンが悪い、ディープ・ステートが悪い、中国が悪い」といったことを言っている。

「9・11の真実を言うぞ!」「人身売買を取り締まるぞ!」などとキャッチーなことも言うので、人々の注目はどんどん集まる。

それらの主張が正しいのか誤りなのかはトランプ支持者にとって重要ではない。アメリカの底辺であえいでいる者たちにとっては、「何かを劇的に変えてくれそうな気がする」「自分たちに代わって、気に食わないヤツらを罵倒してくれる」ことが大事なのだ。

人種差別的で、女性蔑視で、過激で、無神経。トランプのそんな人柄が好きというわけではなく、とにかく「今の体制ではダメだ」という、大雑把で漠然とした国民の怒りの象徴としてトランプは受け入れられている。

また、トランプ支持だからといって、共和党支持ということでもない。トランプ支持者からすれば、共和党もいらないし、民主党もいらない。反中央政府、反ワシントンD.C.であり、「現状の体制に巣食う支配階級や権力階級と呼ばれるヤツらを、トランプが一掃してくれる」ことを願っているだけだ。これはエスタブリッシュメントvs一般市民の階級間戦争であり、トランプはその旗頭になっている。

トランプ自身も「アメリカを変える」とは言うものの、そこに深い思慮や政治哲学があるわけではない。実際のところトランプは、背後にいる勢力のスポークスマンにすぎない。綿密な世論調査をして、国民の意識を読んだうえで、それに合った指導者として選ばれたのがトランプなのだ。

では、そのトランプの背後にいるのは誰かというと、米軍である。トランプは大統領在任の2019年に宇宙軍を創設し、そこが中心となって集まった「アメリカの既存の支配体制を変革しよう」と考える人々、私はこれを米軍良心派と呼ぶが、トランプはこの米軍良心派のスポークスマン的な存在なのである。

だが話はそれだけで終わらない。すでに忘れているかもしれないが、2020年に「オペレーション・ワープ・スピード」といって、新型コロナワクチンの接種を加速化させた時の大統領はトランプだった。今ではそのワクチンの後遺症が顕在化し、最近の調査では世界的に1億人程度の人々がワクチン被害を受けているとされている。

新型コロナワクチンは、ディープ・ステートの人口削減計画の一環であり、トランプはそこにも関与していたのだ。その事実を棚に上げて「トランプはワクチン反対派だった」という声もあるが、それは明らかに間違いだ。2020年の米大統領選では、ディープ・ステートによる「選挙泥棒」の被害者となったが、大統領就任後はディープ・ステート側の勢力に乗っかっていたのだ。

これはトランプが決して確固たる信念の持ち主ではないことを表している。まったく自分の意思の感じられない日本の岸田文雄首相ほどではないにしても、トランプに自分なりの強い政治的主張があるわけではない。国民をうまい具合に引っ張るために利用されている駒の一つと言ってもいいだろう。

とはいえ米国民に対する求心力は絶大で、だから裏の支配勢力からも重宝される。そして現在はディープ・ステートではなく、米軍良心派がバックについているから、その意味でもやはりトランプが、これからの世界を変革するキーマンとなることは間違いない。

選挙前にトランプ臨時軍事政権が樹立

ここで重要なのは、米軍良心派が、トランプの下で臨時軍事政権を立ち上げようと考えていることだ。

バイデンは議会から退任勧告が出されるほどの死に体で、このままだと11月の米大統領選まで政権がもたない。選挙の前に、国民の暴動や各州による内乱によって無政府状態になっても不思議はないのだ。

そうなった時、米軍には戒厳令という切り札がある。実行部隊によって暴動を鎮圧するとともに、暴動の首謀者として現政権に関わる人間をかたっぱしから逮捕する。そして戒厳令下のアメリカをトランプに指揮させる。

もちろんこれは可能性の一部であって、このようなあらすじがすでに決まっているわけではない。

だが今のアメリカの状況をみれば、決してあり得ない話ではない。私としては、11月の米大統領選までに大きな変革が起きて、選挙自体が行われないとみている。それまでにトランプをトップに立てた臨時の軍事政権が樹立される可能性は高いだろう。

以前、米軍の情報筋から聞いた話では、実際に戒厳令を宣言した際の様々なシミュレーションはすでに行われているという。その時どうなるかというと、米国民の多くは戒厳令というものを理解できず、軍の指示に従わない者も多く、各地で内戦状態となってしまい、多数のアメリカ人が死ぬ結果になった。

そこで、軍事政権が米国民に歓迎されるためには、現状よりさらに秩序崩壊が進む必要があるという結論になった。米国民が「もう、こんな社会は勘弁してくれ！」と叫び出すようになるまでカオスを放置しておく。そしていよいよとなったところで、国民人気の高いトランプをトップに立てて、戒厳令を宣言するというのが、現在水面下で進められているプランだ。

民衆に軍事政権を受け入れさせるために徹底的に治安の悪化を進め、「軍が来てくれて、ありがとうございます」という状態をつくり出すのは、過去の歴史を振り返ればいくつもの国で実行されてきた常套手段だ。

そしてアメリカは今まさにそういう状況にあり、機が熟する直前だと私はみている。現在のアメリカはフランス革命前夜のような状況で、とにかく多くの国民たちが「既存体制のままではダメだ」と嘆き、苦しんでいる。ありとあらゆる犯罪が激増し、それを警察がまともに取り締まることもできないカオスの状態になっている。

そしてトランプは「既存体制の支配者層を全滅させてくれる存在」として、一般の米国民たちの期待を一身に背負い、フランス革命の指導者マクシミリアン・ロベスピエールのような役割を担うことになるだろう。

2004年、NBCテレビのリアリティ番組『アプレンティス』では「You're fired」（お前はクビだ！）の決めゼリフで人気を博したように、人心を摑むパフォーマンスだけは長けているトランプに、うってつけの役割だ。

ちなみに、トランプ人気に関して私自身の経験を言うと、私が運営している英語版のサイトでトランプを非難するようなことを書くと、明らかにページビューが減る。日本だと、トランプのファンだという人間に対して、ちょっとバカにして笑い物にするようなニュアンスになるが、アメリカのトランプ支持者は至って本気なのである。

「国民の18％がテイラー・スウィフトの推す大統領候補に投票する」

ディープ・ステートが人心をコントロールするために使うのが人気芸能人で、今は歌姫テイラー・スウィフトが持ち上げられている。世界規模のヒット曲は数知れず、インスタグラムだけで3億人近いフォロワーを持つスウィフトの人気は絶大で、「国民の18％がスウィフトの推す大統領候補に投票する」との世論調査結果もあるほどだ。

これに対してトランプは本気で脅威を感じているのか、自分よりも目立つ存在が気に食わないだけなのかはわからないが、「スウィフトが腐敗したバイデンを支持するわけがない」「バイデンはスウィフトのために何もしていない」「私はテイラー・スウィフトをはじめとするすべての音楽アーティストのために、音楽近代化法に署名し、責任を負った」などと、自身の立ち上げたSNSのトゥルース・ソーシャルに投稿している。

ただし、スウィフトは2008年の米大統領選後にバラク・オバマ新大統領を祝福し、支持を表明したように、明確な民主党支持者である。

また、ディープ・ステートはプロレスラーのザ・ロックとしても人気の高い映画俳優のドウェイン・ジョンソンを大統領にしようとプッシュしていた。なんとかトランプに対抗できるシンボルを立てようとしたわけだ。2021年の世論調査ではアメリカ人の46％がジョンソンに投票するという結果も出ており、実際に出馬の要請があったことを本人も明かしている。

それほどのカリスマ的な人気を誇っていたジョンソンが、ザ・ロックとして2024年、世界一の規模を誇るWWEのプロレス会場に登場すると、観客から一斉に「マウイ！　マウイ！」とブーイングを受けた。2023年のハワイのマウイ島火災に関して、ジョンソンは被災者への支援を約束しておきながら、まったく実行していなかったからだという。私の見立てでは、観客がマウイの人々を思いやってブーイングを浴びせたというよりも、ジョンソンがマウイ島の利権に絡んでいたことや、バイデン政権に深く関与していることへの反発からのものであろう。

また、このジョンソンの一件の同時期、ヒラリー・クリントンが公衆から「あなたは人殺しだ！」と追い払われた一件もあった。現政権に対する米国民の拒否感はもはや収拾がつかない状況になっている。

トップスターのスウィフトもジョンソンも、何も考えていない一部の人間を民主党側に取り込むことはできても、今となっては米国民の大多数を動かす力は持っていない。「国民の18％がスウィフトの推す大統領候補に投票する」という世論調査にしても元のソースが提示されておらず、本当かどうかもわからない。一種のプロパガンダと見るのが妥当だろう。それにもし、本当にアンケートでスウィフトの意志を支持するといっても、実際の投票行動にどれだけ繋がるかはわかったものではない。

いくら有名人が支持したからといって、現状はインフレをはじめとした深刻な社会問題がありすぎて、それぐらいではもう米国民はだまされない。スウィフトは魅力的な歌手ではあるのだろうが、政治的に何かをしたい、アメリカの未来をどうにかしたいという考えは何もない。

政権にとって都合の悪いニュースから目をそらすために、芸能人ネタを使うというのはアメリカでも日本でもよく行われていることだ。たとえば、２００９年にアメリカの貿易赤字が過去最高額になったというニュースが出た時には、ビヨンセがオッパイを出した写真が流出して大衆の目をそらしたといった具合である。

米大統領選に関連してスウィフトの名前が上がった２０２４年１～２月あたりも、雇用統計などにおいて最悪レベルのデータがどんどん出ており、それを芸能ニュースで目をそらすと同時に、「米大統領選で民主党を応援しよう」という空気をつくりたい思惑があってのことだろう。しかし、その手はもうまかり通らなくなっている。これがバイデン＝民主党の支持率上昇に繋がることはない。

そこまで米国民はバカではない……ということではなく、それぐらいでは許されないほどに、今の一般市民の生活は追い詰められている。最近では、日本のテレビでもニューヨークの荒れた現状を映像で流したり、不法移民の問題や治安の悪さや貧困率などを報じたりするようになってきた。これは過去にあまり例を見なかったことで、日本のメディアの意識が変わったというよりは、支配者層の影響力の低下もあって、いよいよアメリカの惨状を隠しきれなくなったということなのである。

テイラー・スウィフトを利用しても国民はだませない

アメリカの悲惨な現状に不満を抱いているのは低所得の人々だけではない。実際の現場で不法移民に対処したり、治安維持にあたったりしている警察当局や軍の関係者ももう爆発寸前だ。リアルな苦境を目の当たりにしている彼らからすれば、有名芸能人をもてはやして国民をだまそうとする現体制など、とても許せるものではない。

２０２４年2月には、オーストラリア在住のスウィフトの実父が、パパラッチに暴行を働いて逮捕される事件があった。これはべつにトランプ派によるスウィフトへの反撃といったものではなく、とにかくなんでもいいから騒動を起こし、ゴシップ雑誌に取り上られることで注目を集めようというだけのチンケな話でしかない。

だいたいにおいて、スウィフトはセレブリティなのだ。既存体制側の人間であり、決して一般国民の味方ではない。「日本での東京ドーム公演直後に、彼氏の出場するスーパーボウルを観戦するためにプライベートジェットで帰国した」と聞けば、気分を害する米国民のほうが多いに決まっている。

ちなみにスーパーボウルも、今では純粋なスポーツ大会ではなくなっている。ここ数年の勝敗結果を見ると、たいていの場合、スポーツベットで多くの賭け金が集まったほうのチームが負けている。２０２４年2月11日に行われた今回のスーパーボウルも、賭け金の78％がサンフランシスコ49ｅｒｓに集中し、それを見て「サンフランシスコが負けるんだな」と思ったら、その通りの結果となった（ＡＦＣ王者のカンザスシティ・チーフスとＮＦＣ王者のサンフランシスコ・49ｅｒｓが対戦し、チーフスが25－22で勝利）。

支配者層は、そんなことまでして大衆からカネを巻き上げようとしている。現状の米社会が堕落した末期症状にあることを示す、わかりやすい例だろう。

ともかく、一生懸命にスウィフトの話題を盛り上げ、アメリカの苦境から大衆の目をそらさせ、政権への支持を得ようといくら頑張っても、そんなことはもう不可能なレベルにまで状況は悪化している。

そもそも、民主党も共和党も「どっちも嫌だ」という米国民が激増しているのだ。バイデンvsトランプは民主党vs共和党の争いではなく、個人としてのバイデンとトランプでは「どちらがマシか」という争いになっている。

ペプシ・コーラかコカ・コーラかで大衆をだますことのできた時代はもうとっくに終わっており、「これからはコーラよりもナチュラルミネラルウォーターだ」という世界になりつつあるのだ。

米人気司会者によるプーチン大統領インタビューの衝撃

2024年2月6日、米FOXテレビの元看板司会者、タッカー・カールソンが、ロシアのウラジーミル・プーチン大統領へのインタビューを敢行した。これは非常に多くの意味を含んでいる。

インタビューは大手メディアによる放送ではなく、まずXに投稿され、1カ月後には10億回以上も再生されている。既存の大手メディアが同じインタビューを流したところで、決して10億回も視聴されることはあり得ない。つまりXの影響力は、既存メディアを大きく超えているわけだ。

Xのオーナーであるイーロン・マスクは、実は米国家偵察局（national reconnaissance office＝米国防総省の諜報機関）の人間だ。そんなマスクの会社であるXで、プーチンのインタビューを優先的に発表した。

インタビューのなかでプーチンは「実はロシアが冷戦後にNATOに入ろうとしていた」「ロシアがアメリカと一緒にミサイル開発して中国を抑制しようという合意に至っていた」と明かし、これ以外にもスクープ発言を連発している。

中国包囲網は、2007年にプーチンが訪米して、メーン州ケネバンクポートのブッシュ家別荘で、ジョージ・H・W・ブッシュ（第41代米大統領でジョージ・W・ブッシュの父。以下パパ・ブッシュと表記）と会談した時に出た話で、湖のほとりで合意をしたとされる。

様々な情報筋からも、パパ・ブッシュはロシアとアメリカが共同して、中国との新たな対立構造をつくることを提案したと聞いている。そのためにアメリカとロシアが新たな冷戦を始めるフリをして武器の製造を増やし、軍事産業の隆盛を図る。ロシアは中国の味方のフリをしながら接近し、最後に寝返って、アメリカとともに中国を潰すというプランだったようだ。

実際プーチンはこのインタビューで「ロシアはNATOと同盟を組んで、一緒に軍事開発をしようとした」と話している。NATOにロシアが加わってミサイル共同防衛体制を構築するつもりだったというのだが、もともと対ソビエト連邦を目的として結成されたNATOにロシアが加わるとなれば、その場合の標的は必然的に別の国となる。さしあたってそれは中国しか考えられない。BRICSや対ウクライナ戦などでロシアと中国が協調している今、プーチン側がそれを明かし、認めたことは非常に深い意味がある。

ディープ・ステートによる世界支配に抵抗するプーチン

このプーチンとパパ・ブッシュの密約に待ったをかけたのがネオコンだった。ネオコンとは一般的には新保守主義派といわれるが、これは現在ウクライナ戦争をやっている連中と一致する。つまり、ディープ・ステートの一味ということである。そのネオコン勢力がロシアとアメリカの共同計画にストップをかけたのだとプーチンは言っている。

ネオコンの狙いは、アメリカがロシアと共同して中国を叩く前に、ロシアをいくつかの小さな国に分裂させるというものだった。まずはロシアを分裂させて、アメリカの脅威にならないようにしてから、次に中国を攻めるという順番でなければダメだというわけである。そのようなアメリカ側の計画があったために、ロシアは中国と仲良くするしかなかったのだ。

また、このインタビューでプーチンは、1000年前からのロシアの歴史を語っている。そこで最初に口にしたのは、もともとウクライナの地にあったハザール王国を潰したロシアの王様たちの話だった。ただしこの時、ハザール王国の名称は口にしていない。

そしてプーチンはそこから、共産革命後にウクライナというそれまで存在していなかった国をロシアの中につくったことに言及。そしてソ連崩壊後に、ウクライナの独立が当時のロシア政権や世界各国から承認されたことを語った。プーチンは直接の言及こそ避けたもののウクライナ地域の地図を見れば、その真意は明らかだ。ソ連崩壊後のウクライナ独立は、ディープ・ステートによるハザール王国復活の計画によるものであり、プーチンはそれに対抗しているのだ。

ハザール王国とは、トルコなど中央アジア系の民族が7世紀頃に現在のキーウを中心に建国した国で、9世紀頃に支配層がユダヤ教に改宗した。10世紀頃に王国が崩壊するとハザールの民は世界各地に散らばっていったが、それが現在のロックフェラー家やロスチャイルド家など、近年世界を裏から支配してきた勢力に繋がっている。このことから私は、いわゆるディープ・ステートと呼ばれるものをハザール・マフィアと称している（本書では便宜上、ディープ・ステートとしている）。

話をインタビューに戻すと、プーチンは暗に「ディープ・ステートがハザール王国復活のためにウクライナ戦争を起こした」と世界に伝えているのである。さらに、先ほど述べたディープ・ステートが、ロシアを小国に分裂させて征服したあとに、中国との戦争を目論んでいることも示唆している。

ディープ・ステートの最終的な目的は、ハザール・マフィアの一族による世界支配だ。復活したハザール王国と、エルサレムを中心にして中東を制覇した王国、この2つの王国を世界の頂点とし、その他すべての人類を家畜化した人間牧場をつくろうとしている。

このディープ・ステートの目的を知るプーチンにしてみれば、ソ連崩壊後のウクライナの独立は偉大なロシアの領土を奪われた感覚であり、ウクライナへの侵攻に強い正当性を持っていることが理解できるだろう。

大手メディアの嘘を暴いたプーチンのインタビュー

トランプ夫人のメラニアは、プーチンのインタビューを行ったカールソンを副大統領候補にすると言っているが、そこはどうなるかわからない。ともかく、カールソンがトランプ家と関係が深い人物であることは間違いなく、FOXテレビの司会者時代、2020年の米大統領選で「選挙泥棒があった」と番組中に発言したことが問題視されていた。そのため日本では「陰謀論やフェイクニュースを流した元

ＦＯＸテレビの司会者」として紹介されているが、カールソンは当然のごとくトランプの主張を支持しただけなのだ。

そんなカールソンが行ったインタビューで、プーチンは「ロシアが戦っているのはバイデン大統領ではなく、バイデンの後ろにいる人間たちだ」ということを言っており、これはトランプの主張と同じだ。つまりトランプとプーチンは、アメリカの現政権について同じ認識を共有しているということになる。

私がＦＳＢ（ロシア連邦保安庁）の人間と話す時、彼らも「ＦＲＢ（連邦準備制度理事会＝米中央銀行の最高意思決定機関）の持ち主を倒すのがロシアの目的だ」とはっきり言っている。つまり、ＦＲＢの大株主として世界を動かしてきたロックフェラーやロスチャイルドなど、既存の欧米権力者こそ、ロシアの標的だということだ。プーチンはインタビューではそこまで踏み込んでいないものの、真意はそういうことなのである。

いずれにしても、このプーチンのインタビューは10億回以上も視聴されているわけで、それを見た億単位の人々は「ロシアはＮＡＴＯに入りたかった」ということを、驚きとともに知ることになった。これまで欧米のメディアによって広く伝えられてきたロシアの姿とはまったく異なる真実が、目に見える形で広まったわけである。

「プーチンはとても悪い独裁者で我々の敵だったはずだが、実はそうじゃなかったのか」と感じた人も多くいただろう。これまでの大本営発表が、たった一度のXへの投稿で180度変わったことは、メディア界においても革命的な出来事だった。

そしてこれを見た多くの人は、たとえば朝日新聞に「プーチンは悪人だ」と旧来どおりの見出しの記事が出たら、朝日新聞を買わなくなるだろう。インタビューと異なる論評をする地上波テレビも信用しなくなるはずだ。実際問題として、XなどのSNSを既存メディアよりも信頼し、そこで情報収集する人はどんどん増えている。

カールソンがFOX時代にプーチンをインタビューしたとしても、視聴者は300万人程度だっただろう。それがXでは10億回以上も再生される。そう考えると旧来メディアの価値はすっかり下落してしまった。私自身も、今さら「元フォーブス記者」と言われたところで、違和感しか覚えない。当時の『フォーブス』の全読者数よりも、現在個人で発行しているメールマガジンの読者のほうがはるかに多いのだ。

　このようなマスメディアの価値の変化というのも、世界が変わって既存体制が崩壊するサインの一つだ。これまで一般市民の意思をまとめ、世論を誘導してきたマスメディアは「レガシーメディア」と呼ばれ、古い化石メディアとなりつつある。

　さらにプーチンのインタビューはXへ投稿されたのち、ＹｏｕＴｕｂｅなどにも拡散されていった。現在の世界では個人で発信のできるXなどのＳＮＳのほうが、レガシーメディアよりもはるかに多大な影響を一般の人々に与えているのだ。

　日本では、このインタビューについて、当初ネットニュースにはなったものの、地上波テレビなどのレガシーメディアはほとんど取り上げなかった。既存のニュースメディアが報じてきたこととまったく異なる内容を放送することに躊躇があったのだろう。

　だがそうしたメディアの欺瞞がバレはじめたことにより、逆に様々な真実が見えてきた。これまでは、新型コロナワクチンの危険を唱えれば陰謀論者と切り捨てられてきたが、ＳＮＳ上に世界中から多数の被害情報が集まり、いよいよワクチンの危険性が明らかになった。これも、既存メディアの失墜によって真実が明らかになった顕著な例だろう。

トランプがプーチンのインタビューに同席

ＦＳＢの情報筋によると、プーチンのインタビューを行った際、トランプもロシアに滞在していたという。そして、このインタビューが米軍との関連が深いイーロン・マスクのＸに投稿されたということは、米軍とロシア軍がいよいよ同盟を結んだ可能性が高い。

この時、トランプは、現場でアナログの秘密資料を大量にもらったという。今の時代、デジタルの資料だと必ず何かしらの形で情報を抜かれる。だから本当に大事な資料はタイプライターや手書きで作成して手渡しする。

ここでいうロシア軍と同盟を結ぶ米軍を統治するのは当然、バイデン政権ではない。米軍が独自に、トランプをメッセンジャーとして派遣した形である。このインタビューのあとに、ロシアの国営タス通信に登場したプーチンは「アメリカの次期大統領は、バイデンになるのがいちばんいいと思っています」と話した。さらに、バイデン政権のアントニー・ブリンケン国務長官に対しても「我々の仲間だ」と付け加えた。

インタビューのあとにそういう発言をする理由は明白だ。これまでトランプは、多くのメディアで「ロシアのエージェントだ」というレッテルを貼られてきた。それを理解したうえで、プーチンは「トランプは親ロシア派だ」というレガシーメディアによるプロパガンダを牽制する意図で、「バイデンがいい」と言ったのだ。

これはリバース・サイコロジー（逆心理学）といって、「バイデンを支持している」と言えば「トランプはロシアと癒着している」というストーリーを言いづらくなる。だから本当はトランプを支持していてもバイデン支持だと言うのだ。

2020年の米大統領選で、トランプのロシア疑惑が問題視されたことへの反省もあるのだろう。当時、アメリカでは「モスクワでトランプとプーチンが抱き合ってキスしているパロディー看板」が街中に設置された。さらに「トランプがモスクワのホテルのスイートルームに複数のコールガールを呼んで、自分の目の前で小便をかけ合う変態プレーをさせて楽しんでいた」という小便疑惑スキャンダルも流布された。もっとも、この小便疑惑は本当のことだったとも聞いている。

トランプは〝2人いる〟

トランプを知るうえで、頭に入れておかないと理解が難しくなってしまうポイントがある。

現在、欧米では支配体制をなんとか維持しようとするディープ・ステートと、現体制を破壊して変革したいという勢力が2つに分かれて、情報戦を含めて様々な形で戦っている。

アメリカのニュース専門放送局MSNBCは、既存の放送局であるNBCとマイクロソフトが共同で設立した巨大メディアで、ロックフェラーが所有している。そのためMSNBCはトランプに不利になる報道しかしない。トランプがジョン・オーウェン・ブレナン元CIA長官の機密資格を剥奪したというニュースがあれば、当然すべての非がトランプにあるかのように報道する。その一方でFOXは、トランプの正当性ばかりを繰り返し報道している。

このようにメディアも完全に2つの陣営に分かれており、どちらの情報に信頼を置くかで、視聴者それぞれにまったく別人のトランプ像ができあがる。これは特別おかしな話ではなく、たとえば第二次世界大戦中にアメリカの新聞で見る東條英機と、日本の新聞で見る東條英機がまったく別人のように書かれていたのと同じことだ。

単に情報として別人のように伝えるだけでなく、反トランプ陣営はトランプの影武者を用意している。トランプのいくつかの写真を見比べると、目の周りが白くなっているものがあるが、これが役者に演じさせた偽トランプだという。この偽トランプに反トランプ陣営のメディアを通じておかしな発言をさせることで、トランプ本人の評判を落とそうとする。

なおCIA筋からは、フロリダ州のパームビーチにあるトランプの別荘マー・ア・ラゴに居住し、行動する際にメラニア夫人を帯同していないのが偽トランプだと聞いている。

このように〝2人のトランプ〟が存在するために話はややこしくなるが、トランプという象徴を利用したい2つの勢力があって、トランプの背後の力関係のバランスや情報戦によって、発言と行動がバラバラに見える事態が起こるのだ。

トランプが既存体制を倒す勢力のシンボルとなっているだけに、両方の勢力が自分たちに都合のいいように利用する。その時、トランプ本人にまったく意思がなければ、バイデンのように完全な操り人形になるのだが、トランプにはトランプなりの意思があるため、一層ややこしい状況になってしまっている。そのため、時と場合によってその発言にブレが生じてしまうことが多々あり、整合性を求めようとしても無駄に終わる。「どのトランプの発言が本当なのか」は、その時々で判断していくしかないだろう。

トランプをめぐり完全に分断されたアメリカの司法

実際のところトランプは、真っ白な存在というわけでもない。トランプにかぎらず、現在、世界の指導者とされている人間は大なり小なりすねに傷を持つ身であり、世間に隠している不祥事があるからこそ、これを握るバックの勢力に操られている面がある。

たとえばマザー・テレサは一般的に慈善事業の象徴とされ、聖人のイメージが強いが、実際にはかなり金銭に汚くて、あくどい人物だったともいわれている。トランプもそれと同じで、一般国民の思い込みと現実にギャップがあることは間違いない。

現在、多くの米国民の頭の中のトランプ像は「悪いヤツらを全部やっつけて、アメリカをかつての豊かな国に戻してくれる」というもので、「トランプはすごいことをやってくれるに違いない」という期待と思い込みを抱いている。

もちろん米国民の期待と思い込みに沿う方針で動いているには違いないが、だからといってトランプが聖人などということはまったくない。数々の女性スキャンダルについても、トランプが金持ちのプレイボーイで、たくさんの美女と遊んできたというのは間違いないことだろう。それでもメレニアと結婚してからは、離婚問題に発展しそうなトラブルは一度だけあったものの、大きくイメージを落とすほどのセクシャルな悪事は働いていないと、複数の情報筋から聞いている。

だからトランプが抱える様々な裁判でもたくさんの虚実が入り混じる。裁判自体もトランプ陣営と反トランプ陣営のそれぞれが死力を尽くす戦争なので、「勝ったから真実」「負けたから嘘」という単純なことにはならない。反トランプ陣営の息のかかった裁判官はすべてを「有罪」と決めつけ、「米大統領選の予備選への出馬もできない」とする。一方、トランプ陣営の息のかかった裁判官になれば、トランプ無罪の判決となり、「バイデンは痴ほう症で大統領を務める能力はない」「ハンター・バイデン（バイデンの息子）が多額の裏金をもらっている」という判断を下す。お互いに裁判を通じて泥仕合を繰り広げており、アメリカでは司法も二分されているのだ。

さらに言えば、今のユダヤ社会とイスラエルに対する欧米の世論も、真っ二つに分かれている。一つは、パレスチナを含めたすべての周辺諸国と和平をすべきだという平和的グループ。もう一つは、周辺諸国をすべてユダヤに降伏させて、中東から追い払おうと考える狂信派グループだ。平和的グループを純然たるユダヤ教徒、狂信派グループをシオニストと区分することもできるだろう。現在のイスラエル首相のベンヤミン・ネタニヤフを支持しているのは、もちろん狂信派のほうだ。このグループはガザ地区でパレスチナ人を皆殺しにしようとまでしている。

トランプは大統領時代の2017年、エルサレムを正式にイスラエルの首都と認めたことで、親イスラエルと見られているが、これは狂信派ではなく、純粋なユダヤ人を支持してのことである。トランプが4年で大統領の座から追われてしまい、中途で終わったために話はややこしくなってしまったが、エルサレムを首都に承認したのはあくまでもイスラエルと周辺各国の和平プロセスの一環として行ったものだった。

実際トランプは、狂信派のネタニヤフに対して、激しく非難する発言をこれまで何度も繰り返している。

トランプは打倒ディープ・ステートのシンボル

トランプのバックに米軍良心派がついていることは先に述べたが、さらにこの勢力を支援する黒幕がいる。それが、19世紀に〝鉄道王〟として名を成したエドワード・ハリマンに由来するハリマンの一族だ。またＦＲＢを設立した一族にはロックフェラーと敵対する一派がおり、そこにも米軍良心派のバックについているという。ちなみにＦＲＢ内にも、このトランプ陣営を支持する勢力と、敵対するロックフェラーの一派が存在している。

また、米国内の治安維持を担うＦＢＩ（米連邦捜査局）の中にもトランプ支持の勢力がいる。この反ロックフェラーのスタンスを取るＦＢＩ内グループは、自分たちの存在を隠しながらトランプの支援を続けているという。バイデン政権の不法移民対策の甘さや、それに伴う犯罪の増加に嫌気の差した現場の警官たちも、大多数がトランプ支持に回っている。

海外勢では、イギリスのＣＳＣ（英参謀長委員会）やＭＩ６（英秘密情報部）が、現在の世界の支配体制に反発するという姿勢でトランプ支持の勢力に名を連ねる。

トランプが米軍良識派の支持を得た経緯はいかにもトランプらしいものだ。

もともとトランプは２０１６年の米大統領選で、ヒラリー・クリントンに負けるためにディープ・ステートに選ばれた当て馬だったという。だが、この八百長選挙におけるトランプのパフォーマンス能力やキャッチーなカリスマ性などを見込んだ米軍良心派のほうから、「あなたが抱える数々のスキャンダルを揉み消すから、選挙に勝ってくれないか」という話が持ち込まれた。当初、米大統領になるつもりなどなかったトランプだったが、スキャンダルの揉み消しの申し出に乗り、反ディープ・ステートの立場の米軍良心派に乗っかった。これに世論がついてきて、まさかのトランプ勝利となったのだ。

トランプ自身に大統領の資質もあったのだろうが、それでも映画『ロッキー』で突然ロッキーが世界王者に挑戦して英雄になったのと同じような奇跡だった。そしてこの時からトランプは、ロックフェラーやロスチャイルドなどのエリート血族に対抗するシンボルに格上げされることになった。

このトランプの予期せぬ当選で、長らくアメリカを支配してきたディープ・ステートの計画は大きく狂い始めた。本来ならば、ヒラリーが2016年に大統領になった直後に、新型コロナ騒動を起こす予定だったとされる。だが、トランプ大統領の誕生で新型コロナ騒動の開始が4年遅れたというのだ。

トランプにはグレーな部分が多く、決して完全な正義のヒーローではない。しかしトランプは、ロックフェラーやロスチャイルドの配下にあるFRBやワシントンD.C.や、国際連合や世界経済フォーラムが支配する現在の世界体制を倒すためのシンボルとなり、さらに、これを盛り立てようとする世界の諜報機関も数多く存在する。

「とにかく現在の支配体制は許せない」「絶対に倒さなければならない」という声は、世界中で日々高まっているのだ。

第1章

「もしトラ」最大の衝撃は〝アメリカの消滅〟

今のアメリカの状況は崩壊前後のソ連と同じ

これまで世界を裏で支配していたディープ・ステートが空中分解を始めた。

ワシントンD.C.＝中央政府はもはや米国民の代表ではない。厳密に言うと、ワシントンD.C.はアメリカの国土ですらない。D.C.とはDistrict of Columbia（特別区）の略であり、10平方キロメートルの敷地の独立機関を意味する。いうなればイタリアにおけるバチカンや、イギリスにおけるロンドンシティと同様に、ワシントンD.C.もまた独立地区なのだ。だからバチカンにイタリアの法律は通じないし、ロンドンシティにイギリスの法律は通じない。そしてワシントンD.C.にもアメリカの法律は通じない。

D.C.にいる支配者層は一般の米国民など眼中になく、下層階級とはかけ離れた豊かで贅沢な暮らしをしているというのは、今のアメリカの常識になりつつある。

そんなワシントンD.C.に対する一般国民の不満が爆発すれば、米社会は崩壊へと向かい、ソ連が崩壊した時と同じようなことが起こるだろう。

ソ連崩壊直後のロシアがいかにメチャクチャな状況だったかというと、南米の麻薬マフィアがロシア軍から潜水艦は買えるのかと交渉に当たったところ、「原子爆弾搭載のものと、非搭載のものはどちらにするか？」と返事がきたという。当時のロシアは、モラルも何もなくなるほど堕落し、困窮していた。一般の成人男女は多くがアルコール中毒になり、90年代初頭から中頃には男性の平均寿命が50歳代にまで下がった。

このような崩壊前後のソ連の状況は今のアメリカにも当てはまる。

格差は広がる一方でホームレスが激増。米国住宅都市開発省の発表によると、2023年1月時点のホームレスの人数は過去最高の約65万3000人にまで増えている。薬物やアルコールの中毒患者も増加傾向が続き、平均寿命は2023年時点で3年連続の低下。なかでもアフリカ系黒人男性の平均寿命は約61・5歳と、他の先進諸国と比べて極端に低い（日本人男性の平均寿命は約81歳）。

ロシアがソ連崩壊後のカオス状態から復活できたのは、ロシア正教とかつての王族に忠実なグループの働きによるところが大きい。プーチンを代表とするこのグループは、崩壊の混乱に乗じて不当な蓄財をしていたオリガルヒと呼ばれるおよそ200人の大富豪たちを暗殺、もしくは追放した。そして、その富を再分配することによって国民の生活水準を倍増させたのだ。

米国民全員に36万ドルを分配

私は、アメリカも同じような道をたどることになると予測している。そしてこの時、救国グループの先頭に立つのがトランプだ。ロシアでプーチンの果たした役割を、アメリカではトランプが担うことになる。

ソ連からロシアへの変革と同様に、アメリカにおいても壊滅的な破壊とカオスが起こり、そうしてリセットしたあとに再生へと向かっていく。

私の計算したところ、ディープ・ステートがFRBを支配した1913年から、アメリカの富の96%が収奪された。ディープ・ステートはFRBを使って、なんの保証も価値もないドルを刷り、その無価値のドルで米国民の富を買い叩いてきたのだ。

そんなディープ・ステートから、もともと米国民のものだった富を取り戻して社会に還元する。その時、国民1人当たりの配分は、現在の価値で約36万ドル（約5300万円）にもなる。子供も老人も含めて、米国民全員が36万ドルを所有した状態で再スタートできるのだ。

あり得ない妄想と思うかもしれないが、このぐらいの措置をしないことには、すでに壊れてしまった米社会を再生することはできない。現状を維持しつつ徐々にソフトランディングしようとしても、もはや再生不可能な状態になっている。

そして、こうした借金棒引き的なことは、世界各地でこれまでに何度も行われてきた。

日本の場合は、第二次世界大戦が終わると、それまで使われていた直径4センチほどある1円銀貨の価値は1000分の1にまで下げられた。つまり蓄財していたものがほぼ無価値になったのである。それに加えて農地改革によって土地の再分配が行われた。日本ではほとんどの農地が一部の地主の手にあったが、それらを農家それぞれに分配したことで、日本国民全体が中流階級になった。それまでの格差が一気に解消されたわけである。

日本の例は、敗戦とアメリカの支配という外的な原因があってのことだったが、それ以外でも鎌倉から室町時代にかけて、「困窮する下級武士を救うため」という理由から、金貸し業者などに対して債務放棄を命じる「徳政令」が何度も出されてきた。

また、ユダヤ教に由来する「ジュビリー」という慣習もある。いわゆる周年記念のことで、日本でもゴールデンジュビリー＝金婚式、シルバージュビリー＝銀婚式といった具合に使われている。ユダヤ教では、何かしらの記念日として祝祭が開かれ、その時に恩赦として借金の減免などが行われることがあった。

バチカンでも実際に「ジュビリー２０００」を提唱したことがあった。旧約聖書レビ記第25章にある「50年に一度、負債のために奴隷にされた人々を解放し、負債によって奪われた土地を返し、不平等によって分裂した共同体を回復した」との記述に則って、２０００年を目途に、世界の最貧国の債務を帳消しにすることを求めたのである。この「ジュビリー２０００」は社会運動となって世界に広がり、１９９８年のイギリス・バーミンガムで開かれたＧ８サミットでは、全額の明示はされなかったが、一定額の債務取り消しが合意、実行されている。

バイデンしか有力大統領候補のいない米民主党

2024年2月、バイデンの機密文書持ち出しにまつわる裁判において、ロバート・ハー特別検査官は、バイデンを訴追しないことの理由の一つとして「裁判になった場合、記憶力の乏しい高齢者として陪審の前に立つことになるからだ」と説明した。

公的立場にある検査官が「バイデンは痴呆症で最低クラスの認知機能しかなく、裁判に対処することができない」と言ったのだ。

裁判ができないとなると、刑務所にも入れられないような最低レベル以下の認知機能しかないことを意味する。そんなことを公言された大統領が、このまま政権を存続することなどあり得ないと考えるのが普通だ。

この発言に対し、弁護団は「バイデンはボケていない」と抗議をしているようだが、こんな有様では、バイデン政権は11月の米大統領選までもたないだろう。そんなバイデンを再び大統領候補に立てるなど、とても正気の沙汰とは思えないが、そもそも民主党には他に有力候補がいない。

ジョン・F・ケネディの甥、ロバート・F・ケネディJr.は一時期、有力候補と見なされていた。人気も高く、トランプに勝てるとしたら彼しかいないのだが、候補者選びの段階で蚊帳の外だ。民主党から推薦されないどころか、逆に出馬を止めるための訴訟を起こされている。

人気があって支持率も高いが、ハザール王国の血筋ではない。ディープ・ステートの連中は、ルーツをともにする者しか仲間に入れようとしない。さらに言うとケネディJr.は反ワクチンを主張しており、これも支配者層の意向とは真逆である。

ディープ・ステートの当初の目論見としては、ブッシュ家→クリントン家→ブッシュ家→クリントン家というような政権交代を繰り返すつもりだった。間にオバマが入ったが、そのあとにまたクリントン家、ブッシュ家と繋いでいく青写真が描かれていたのだ。

ところがヒラリー・クリントンがトランプに敗れ、共和党側もブッシュ家の次期大統領候補とされていたジョージの弟、ジェブ・ブッシュがあまりに不人気で候補から脱落。本来、大統領就任の可能性などまったくなかったはずのトランプが人気を得ることになる。

デイヴィッド・ロックフェラーが2017年に没したことで、当主を失ったロックフェラー家の力が弱まり、ディープ・ステート内に混乱が生じたところもあっただろう。

そんななかで操り人形として扱いやすいバイデンが、棚ぼた的に大統領の座へ据えられた。すでに大統領を2期務めたオバマは、憲法上3度目の大統領にはなれないために（フランクリン・ルーズベルトだけが第二次世界大戦という特殊事情で4選したが、1951年に憲法修正22条で明確に大統領3選は禁止されている）、オバマ政権の副大統領だったバイデンがその代役として収まった形である。

だからディープ・ステートにしてみれば「ボケていようと、人気がなかろうと、いちばん扱いやすいバイデンでいいよ」ということなのだ。選挙結果は2020年の米大統領選と同様に、あとからどうにでも操作できるとたかをくくっている部分もあるだろう。

ミシェル・オバマを大統領候補に立てることも考えたようだが、衣服の上から男性器らしき膨らみの影がはっきりと見える写真が出回り、「オバマの妻ミシェルは男である」との噂がすっかり広まってしまった。最近はジェンダーにこだわらない風潮もあるが、真偽不明とはいえ大統領候補となれば「男であることを隠してきた」という悪評が立ち、そこに批判が集まってしまうことにもなりかねない。

社会情勢への不安が高まるなか、民主党そのものへの逆風も強い。いつデフォルトを宣言しなければならないかもしれず、そんな時に悪評を抱えたままミシェルが立候補をすれば、政治生命を絶たれることにもなりかねない。仮に米大統領選に勝ったとしても、その先はいばらの道だ。

そのようなことから、消去法でバイデンが大統領候補として再選を目指すことになったというのが、民主党のお寒い台所事情なのである。

バイデンはロックフェラーのいいなり

様々な情報筋からは、「本物のバイデンは2021年に死んでいる」とも伝えられている。影武者を務めた役者はこれまでに少なくとも2人いて、その役者がわざと認知症を演じているのではないかとの情報もある。役者がボケたのであれば中身を入れ替えればいいだけだから、ボケ状態を続ける必要はない。そうすると、わざとボケた演技をやっていることになるのだが、その意図はどこにあるのか。

実際、演技でなければあり得ないほどに、このところのバイデンの虚言や失言はおかしなことになっている。

2024年2月のネバダ州で開かれた選挙集会では、フランスのエマニュエル・マクロン大統領とのG7サミットでのやり取りを紹介しようとしたところ、1996年に亡くなったフランソワ・ミッテランと言い間違え、さらには「ドイツの首相」とまで言っていた。

イギリスのボリス・ジョンソンが首相だった当時、記者団を前にした会見で、突然「私はこの映画に出ていた」という話を始め、ジョンソンがバイデンに「あなたは何者だ?」と詰問し、いったん記者会見がストップされる場面もあった。

当初は、バイデンの不調を理由に任期途中で退陣させて、副大統領のカマラ・ハリスをスライドで大統領に昇格させるプランがあったと聞いている。だがこの計画はあまりにもハリスが米国民に不人気だったために頓挫してしまった。

それでもバイデンがおかしな言動を続けるのは、民主党内の反乱分子が画策したものだとの情報もあるが、真偽のほどは定かでない。

とはいえバイデン劇場の幕を下ろそうという機運は高まっており、『エポックタイムズ』という米国務省の発行する新聞が、2020年の米大統領選の不正を指摘する記事を出すなど、現政権に近いところからも反バイデンの意向を読み取れる。

もともと、バイデンを裏側から支援してきたディープ・ステートにとって、バイデン政権は実質的な「第3次オバマ政権」なのだ。ではバイデンが大統領になって、まず何をやったかといえば、カナダの石油パイプラインを止めることだった。ロックフェラー系企業ではない勢力の石油だから、環境問題などの理屈を押しつけて止めたのだ。

さらに2024年1月にも、環境問題を理由に天然ガス輸出施設の建設を禁止した。これもロックフェラー系企業以外には天然ガスをつくらせないための政策であり、バイデンが完全にロックフェラーのいいなりであることがわかる。

1990年代から新たな天然資源として注目されるようになり、国内で大量に採掘できるシェールガスも、採算が合わないという建前で抑制的な方針を取っているが、これも「まずは原価の低い石油で商売をしたい」というロックフェラーの意図に沿ったものである。

ウクライナ戦争におけるロシアへの経済制裁も、欧州各国がロシアから輸入していた化石燃料の輸入をやめさせて、ロックフェラーの扱う石油を割高で売ろうという思惑が隠されていた。欧州各国もそれはわかっているので、表向きには経済制裁に同調しながら、裏ではロシアの天然資源をちびちびと買い続けている。

米社会を大混乱させる不法移民

バイデンはディープ・ステートの傀儡であると同時に反トランプの象徴とされた。「トランプの差別的政策反対」と言って不法移民を受け入れたのだが、今のアメリカ人たちが最も怒りを覚えていることの一つとして、その受け入れた不法移民が、困窮した米国民よりも多額の支援金をもらっていることがある。ニューヨーク州ではコロナ禍で失職した不法移民に最大1万5600ドルという、退役軍人の年金よりも多いお金を支給しており、これを「おかしい」と思わない人はいないだろう。不法移民への厚遇が許容できないほど、多くの米国民は困窮しているのだ。

しかもこの移民たちの多くが家族連れではなく〝兵士に適した年齢層〟の単身男性だ。彼らに配られるお金の原資は赤十字やFRBが出し、アメリカにたくさんの単身男性だけを受け入れている。

なぜ単身男性ばかりなのかについては、複数の情報筋からいくつかの説が寄せられている。一つは米国内に単身の不法移民男性を大量に入れることでカオスをつくり出し、社会を一度ぐちゃぐちゃにしようというものだ。「一度現状をぶち壊す」というのは改革派の考えと一致するのだが、先にも述べたが改革派の狙いはカオスのあとに戒厳令を発して新たな体制をつくることにある。

一方、ディープ・ステートは、国内のカオスをそのまま放置することで、既存体制による新たな恐怖支配を強めようというのがその狙いだ。わかりやすくいえば、新型コロナウイルスに替わって、不法移民によって社会を混乱させて、再びロックダウンのような管理体制をつくろうということである。

実際、ニューヨーク市では、移民に反対するテキサス州などから大量に送り込まれた不法移民による犯罪が多発し、治安の悪化が著しい。彼らは勝手にいろんな住宅を訪れて、インターフォンを押して物乞いをしたりしており、住民からすればとても安心できたものではない。そのため、ニューヨーク市の移民収容施設では夜間外出禁止令が発出され、午後11時から午前6時まで外出禁止となっている。

ヨーロッパでも同じ現象があり、移民によるトラブルや事件が日常茶飯事のように起きている。そして、これに危機感を覚える市民たちが「自衛のため」として自発的に暴動を起こす状況になっている。

米当局が武器商人に対して「不法移民たちに、身分証明書なしで武器を売ってもいい」と発令したという情報もある。アルコールとタバコと武器を監督するATF（アルコール・タバコ・火器及び爆発物取締局）という、日本にかつてあった専売公社のような米司法省内の支局が、不法移民への武器販売を許可するよう決めたというのだ。

不法移民に武器を渡すなど、明らかに異常事態だが、これは欧米のエリートたちが困窮する一般市民から襲われるのを恐れて、不法移民をガードマンとして調達するためだともいわれる。それぐらいしなければ、アメリカの富裕層は自分の身を守ることができなくなっているのだ。

また、いくつかの市では、不法移民を市警の職員として受け入れることが検討されているという情報もある。

普通に考えて、身分証もない不法移民が警察官になるというのは、あまりにも非常識な話だが、それがアメリカで現実に起きている。不法移民のために犯罪が増加し、警官が足りなくなって、その人材不足を不法移民で埋めるというのだから、もはや誰のための市警なのかもよくわからない。

通用しなくなったディープ・ステートの策謀

不法移民問題をめぐっては、実際に内戦が始まっている。

不法移民はメキシコとの国境を越えて、毎年100万人前後がアメリカへ入国してくるが、彼らはスマートフォンを与えられ、月2000ドル程度がキャッシュカードに振り込まれているという情報もある。

これに対して、最も不法移民の流入数が多いテキサス州は、不法移民による治安の悪化に対して中央政府がなんら有効な対策を取っていないことに業を煮やし、中央政府の国境警備隊を追い払って独自にメキシコとの国境を封鎖した。

ところがバイデン政権は、このテキサス州の行為を違憲だとして阻止しようとした。これに対し、テキサス州は国境封鎖継続のために州兵を動員。中央政府の治安部隊とテキサス州兵の間で、目に見える形の内戦が始まっているという。そして米50州のうちの27州がテキサス州を支援することを表明している。

このテキサス州vs中央政府の内戦に関しては、興味深い話がある。

ある右派団体が「不法移民の流入を阻止するため、みんなで100万台のトラックに乗って、国境へ行こう！」と呼びかけた。2021年1月6日の米議会乗っ取り事件の際に「愛国者よ集まれ！　政府を倒そう！」と呼びかけたことに倣ったものだった。

だが、議会襲撃の時には社会問題になるほどの暴動となったが、国境封鎖に関してはほとんど誰も集まらなかった。これには理由がある。議会襲撃事件は実のところ、愛国者を自認する若者たちを一カ所に集めて、まとめて逮捕しようというディープ・ステート側の策略によって行われたものだった。だから国境封鎖デモもまた同じことが行われるだろうと若者たちは察知し、誰も行かなかったというわけだ。

2020年前後に米全土で勃発したBLM（ブラック・ライヴズ・マター）のデモに関しても、実はBLM側のメンバーと、これに反対する白人至上主義を掲げるKKK（クー・クラックス・クラン）のメンバーが、同じバスに乗ってデモ現場にやってきたという話がある。そうして「お前は左翼、お前は右翼にそれぞれ別れて戦え！」とやっていたというのだ。

そのようなカラクリも今ではすっかりバレ始めているが、米大統領選へ向けては、ディープ・ステートによる大きな仕掛けが、また何かしらあるだろう。しかし、従来のやり口では、もう誰もだまされない。2001年の9・11の時は私も含めて大多数の人間がだまされた。しかし今はSNSによる集合知の発達が目覚ましく、何かをやってもすぐに「そんなのは嘘だ」となる。

それはイスラエルとハマスの件でも明らかだ。

2023年10月7日、ハマスによるイスラエルへの攻撃が行われると、大手メディアは「イスラエル版9・11」としてその危機を煽り立てた。

バイデンもすぐにハマスへの制裁を呼びかけたが、国連総会で決議されたのは「ガザでの人道的即時停戦」だった。唯一アメリカだけは「無条件の停戦はハマスを利することになる」として反対し、あくまでもハマス制裁を訴えたが、これに追随する国はついに現れなかった。

9・11の時には、アメリカの提起したアフガニスタン侵攻を、国連安保理事会は満場一致で支持したが、それとは正反対の結果となったわけである。

もはや自作自演での世論づくりはできなくなっている。つまりディープ・ステートの常套手段である〝独裁的な社会の運営〟のスキームは過去の遺物となりつつあるのだ。

ディープ・ステートに吸い尽くされた米経済

2024年1月1日、ロイド・オースティン米国防長官が、前立腺がんの治療のため入院した。だがこの時、国防長官の不在時に代役を務めるはずの国防副長官はプエルトリコで休暇を取っていた。つまりアメリカは数日の間、国防長官のいない状態だったわけである。そしてこのことをバイデンは知らされていなかったという。

ここから2つの問題が浮かび上がってくる。一つは米軍の指揮命令系統がまともに機能していないということ。そしてもう一つは、米軍の最高指揮官であるはずのバイデンはトップでもなんでもないという事実がはっきり示されたことだ。

その後、オースティンはいったん職務に復帰したものの、入退院を繰り返した。こうしたことからも、ディープ・ステートのつくったシナリオが混乱していることがうかがえる。

また、このことはバイデンが大統領に就任してからもずっと、トランプが米軍最高司令官のままだったという説の裏づけにもなる。そして米軍のバックアップを受けるトランプがもしも大統領になった場合、現在の米経済のトップを占めるGAFAMなどは、おそらく解体されることになるだろう。

現在、アメリカのスタンダード・アンド・プアーズ500種指数に挙げられる最大手500社において、その88%にも及ぶ企業の筆頭株主が、ヴァンガード、ブラックロック、ステートストリートという3つの投資会社のいずれかだとされる。

日本ではハゲタカファンドとも呼ばれるこれらの会社の背後にはディープ・ステートの存在がある。つまり言い換えると、ディープ・ステートはこれらの投資会社を通じて、米大手企業の大半を配下に置いているということになる。

ディープ・ステートは、やはり自分たちの配下にあるFRBでドルを刷り、そのお金で自分たちの会社の株を買う。まるでマスターベーションのようではあるが、自分たちが損をすることはなく、この循環のなかで「株価上昇」にだまされて投資する一般投資家のカネをむしり取っていく。企業の成長、ひいてはアメリカの成長など意に介さず、ただひたすらにドルを回し、資産を増やすことだけを最大の目的にしているわけである。

だが、帳簿上で数字が増え続けても、それを根本のところで支えている「ものづくり」がアメリカでは完全に衰退してしまった。ディープ・ステートが寄生虫のように米経済から養分を吸い続けた結果、寄生された宿主が死にかけているのだ。今のアメリカはまさにそんな状態だ。一般国民から収奪することで生き長らえてきた支配者層だが、支配者層を支えるような余力はもはや吸い尽くされ、貧困にあえぐ人々は革命の日を待っている。

現在アメリカの総人口は約3億3000万人。16歳以上の労働力人口は約1億6000万人だが、そのうちの約5000万人はローンを払えない状態に追い込まれているという。これについて経済評論家は「利上げのせいだ」ともっともらしく言うが、その根本の原因は、このような利益構造をつくってきたディープ・ステートにある。

ウクライナ戦争でまったく役に立たない米製の武器

ものづくりでいうと、軍事産業では継続されているが、これも「軍需企業に製造させた武器を、米政府や海外へ高値で売り、株価を上げる」という循環によってディープ・ステートは利益を得てきた。

だがそんなことがいつまでもうまくいくわけがない。米製の武器はあまりにも高額になりすぎて、たとえばイスラエルとハマスの戦闘では「1億円のミサイルで30

万円のドローンを迎撃する」という、まったく割の合わない状況になってしまっている。

そのため、ウクライナにおける対ロシア戦でも米製の武器はまったく役に立っていない。ウクライナへ供与された長距離砲などが最高レベルの性能であることは間違いない。だが問題は一発あたり5000万円かかる点にある。その5000万円のミサイルを、ロシアは自国内で生産された1発500円の武器で迎撃している。つまりロシアはアメリカの1発に対して1万発を使っても割に合うことになる。

逆に言えば、アメリカは1発でロシアの1発の1万倍の戦果を挙げなければならない。こうなると米製武器の性能がいかに素晴らしくとも、まったく費用対効果は見込めない。

高価すぎて大量にウクライナへ供与することも難しいし、実際の戦場でも「費用対効果が見込めないなら撃つな」と命令されることが珍しくないという。

振り返ってみれば、ここ20年の間に米軍が挙げた戦果は、特殊部隊を使って発展途上国を虐めるようなことしかなかった。そのため敵対国と正面から戦う能力や戦略を失ってしまった。

ちなみにトランプを支える米軍良心派の主体は、空軍と宇宙軍とされている。トランプは2020年の米大統領選に敗れたあと、シャイアン・マウンテン基地にある地下アジトに避難していたという。そして米空軍は、ディープ・ステートが深く関与しているウクライナ戦に参加していない。

だが、同じ米軍といってもくだらない連中はいる。米軍から「金属圧力特別圧縮機械を1万ドルで売る」といわれて、いざそれを受け取ってみると、ただのハンマーだったという話があった。わけのわからない混乱しか与えないような説明をして、たいそうな名前をつけて相手国に請求書を出していたというのだ。

また米軍の組織自体も利権構造になっており、今では将軍だらけだという話もある。第二次世界大戦では約1600万人の兵士が動員され、これを指揮する最高位の四つ星将軍は7人だった。それが今は約140万人の兵士に対して四つ星将軍は44人いて、この階級を持つことが大きな利権となっている。

〝破綻状態〟にあるアメリカの経済

日本のテレビは「ニューヨークでは1杯4000円のラーメンに行列ができている」など、いかにも景気がよさそうに報じるが、現実はまったく異なる。

インフレは止まることがなく、米政府が捏造した表向きの失業率ですら2024年度中には4％台にまで悪化すると見られている。「お前は、近々に家賃が払えなくなる」と一般市民が家主に住居を追い出されるケースも増えており、ホームレスの数はどんどん増えている。

ホームレスといっても決して社会不適合者ということではなく、普通の市民が家族で大きなキャンプ用のテントを張って暮らしていたりする。そうして「できるだけ温かいところ」を目指して西海岸へ向かい、カリフォルニアで万引き生活をすることになる。

しかも、これはまだどん底ではない。2024年3月には、それまでFRBが実施していた複数の銀行救済プログラムのうち、1年前のシリコンバレーバンク破綻直後から導入された緊急融資制度が停止された。これにより破綻する銀行はまた増えることになるだろう。

FRBは2000年代に入ってから、たびたびゼロ金利政策を取ってきたが、2022年に利上げへ転じると、そこから金利は一気に5%を上回るまでになった。これを数学的にみた場合、銀行が持っている資産価値が約45%も下がったことになる。資産がほぼ半減したとなれば、これに耐えられる銀行はほとんどないだろう。最近では商業用の不動産価格も暴落している。日本のバブル崩壊時には商業不動産が90%暴落したことがあったが、アメリカでもそれと同じようなことが起こりつつある。

カナダの年金運用会社がマンハッタンの大型ビルをわずか1ドルで売却した。現在の金利や経済状況では、マンハッタンでビルを持っていても維持が困難で採算が合わないため、そのような投げ売りが起きているのだ。

銀行からの預金流出も止まらない。「2024年の上半期には、アメリカの多くの銀行が破綻する」という経済アナリストの予測もある。バーゼル規制（マーケット・リスクの最低所要自己資本を維持することを定めた規制）に引っかかって、営業停止を避けられない銀行が多数存在するというのだ。時価で計上すると破綻状態にあることがバレてしまうため、簿価で計上して経営状況を隠している状態だという。

日本がバブル崩壊をした時も同様の簿価計算で破綻状態を隠すことがまかり通り、アメリカは日本の銀行や大企業に対して「時価で出せ」と強硬に主張したものだった。それを今のアメリカがやっているわけだ。

バイデンは「ＧＤＰが成長しているから好景気だ」と言うが、そのＧＤＰの実態は借金だ。

ＧＤＰが伸びたからといって経済が好調とはかぎらない。たとえばミサイルを飛ばして、東京のレインボーブリッジを爆破したとする。そうすると新たなミサイルを購入する代金と、橋を修復するための工費が発生して、これを反映させることでＧＤＰは上昇する。ミサイル購入も橋の修理も経済活動になるからだ。

実際、ミサイルに関係する会社や橋を修理する建設会社や材料を納入した会社の従業員の給料が上がることもあるだろう。だがこの時に、橋が爆破されたことによる経済的損失はほとんどＧＤＰに反映されない。

現在のアメリカはそれと同じようなことをやっているだけだ。2023年度の第4四半期のGDPの内訳を見ると、約3000億ドル分の経済活動が伸びたというが、そのために新たに8500億ドルの借金をしている。そして伸びた経済活動の内訳を見ると、その多くが不法移民への対策費用なのである。

「アメリカがくしゃみをすると日本は風邪をひく」という言葉がある。これを信じるなら日本も遠くない将来、現在のアメリカよりも悲惨な状態に陥ることになるかもしれない。私としては「ものづくり」がしっかりと残っている日本は大丈夫だと考えているが、用心するに越したことはあるまい。

〝実業〟のない米経済の空洞化

1969年、IMF（国際通貨基金）が新たにSDR（Special Drawing Rights）という国際通貨を発行することになるというニュースが、世界の大手新聞や日本の新聞の一面トップを飾ったことがあった。

結局は国際取引の際の一種の保険金としてＩＭＦが運用する仮想通貨的なものとなったのだが、２００７年にＩＭＦ専務理事となったドミニク・ストロスカーンは、このＳＤＲをドルに代わる国際通貨にしようと考えた。

２０１１年５月、ストロスカーンはリビアのムアンマル・アル・カダフィー（カダフィ大佐）やアフリカの国々と連携して計画を立て、ニューヨークのＦＲＢ本部へ向かった。ＩＭＦの保有する金（ゴールド）をＳＤＲの原資にするために受け取りに行ったのだ。

だが、そこでＦＲＢが保管しているはずのＩＭＦの金がなくなっていたことが発覚した。すでにアメリカが使ってしまっていたのだ。

ストロスカーンがこのことをフランス当局に報告すると、「まずいことになった。携帯電話を置いて逃げろ」と伝えられた。「金がない」というのはアメリカにとって重大問題であり、それを知ってしまったら命の保証はないという。

急いで逃げ出したストロスカーンは、エア・フランスの飛行機のファーストクラスのキャビンまでたどり着き、これで安心だと思って置いてきた携帯電話の取り寄せを頼んだ。

ところがそこでCIAに拘束されてしまう。容疑は「ニューヨークで宿泊したホテルのメイドをレイプした」というものだった。

ストロスカーンはこれを否定したが、結局、IMFの要職を降ろされた。この事件の前までは、次期フランス大統領の有力候補とも目されていたが、それもなくなった。

さらにその後、リビアが空爆され、アラブの春ではカダフィ大佐も殺された。通貨の発行や保有する金の有無というのは、これほど大きな機密事項なのだ。実際問題として、現在はFRBもスイスに本部を置くBIS（国際決済銀行）も金を保有していない。一応は何年かに一度、アメリカの大統領がチェックに行くことになっているが、もう70年以上も調べられていない。

現物資産の金がないとなると、ディープ・ステートのできることは、株式など金融市場を操作することしかない。

だがディープ・ステートの指令でFRBが刷りまくったドルは、2008年のリーマンショック以降、アメリカや西側先進国グループ以外の国では、その価値を認められなくなってしまった。なかでも中国や中国寄りの国はその傾向が強く、今ではアメリカがドルを刷って中国から家電を買おうとしても、購入できなくなっている。

すでにこのような状況になっているため、欧米勢は一層マネーロンダリングに精を出すようになった。その結果、生産台数でいえば弱小自動車製造会社にすぎないテスラの株式の時価総額は、テスラ以外のすべての自動車会社を合計した額を上回るまでになった。

最近はアップル、マイクロソフト、アルファベット（グーグルの運営会社）、アマゾン・ドットコム、メタ・プラットフォームズのプラットフォーマー5社に、テスラとコンピュータ関連のエヌビディアを加えた7社をまとめてマグニフィセントセブンと称されるが、この7社の時価総額を合わせると、中国と日本を除いたすべての国の、すべての企業の時価総額を超えている。その額は約13兆ドル。日本円だと2000兆円近くにもなる。

では実際にその会社が何をやっているかといえば、ほとんどがネット上のバーチャル事業だ。アップルやテスラはいくらかの物品をつくっているし、アマゾンも配送という〝実業〟を行っているが、収益の基本はいずれの会社も、ものづくりではなく、画面上のフィクションの世界のものである。そしてこれこそが、米経済の空洞化を象徴している。

FRBの解体と「トランプ紙幣」の発行

中央銀行を支配する少数の人間が、マネーを刷って（もしくはコンピュータに数字を打ち込んで）、そのマネーで上場企業の株や暗号資産を買い上げる。日本では仕手戦ともいわれるが、一部の株を推奨して、多数の投資家が集中して買って株価が上がったところで、仕手を仕掛けた連中は売り抜ける。暗号資産も基本的には同じ手法で、値段が上がったところで売り被せる作業を繰り返すことで収益を上げている。

2024年3月にはビットコインが過去最高額の約7万3798ドルを記録したが、翌日には6万ドル台にまで急落した。ある程度のところまで上がれば「収穫の時期」となり、直後に暴落することは目に見えている。同じく3月の時点ではマグニフィセントセブンの株も急激に上昇したが、これもいつまで続くかわかったものではない。

本来、株というのは「これからどんな業界が盛り上がり、どの会社が伸びるのか」という見通しを立てて、そこにみんなが投資して株価が上がっていくという共通認識で成り立っていた。企業の利益率や売上高など、長年の経験に基づいた尺度があって、そのなかで株価が決まっていたが、現在そんなものはまったく関係ない。

一般の米国民からすると、実生活とはなんら関わりのないところで「株価上昇」「好景気」と騒がれても反発を覚えるだけだ。そういったことも現在の反バイデン、反ロックフェラー、反ワシントンD.C.の風潮につながっている。

この先、FRBが解体されることになれば、ドルに代わって基軸通貨になるのは、現時点でBRICS通貨となる可能性が出てきている。

それでもドルが暴落しない理由は、国際通貨としてのドルがアメリカのものではなく、BRICSのものだからだ。リーマンショック以降、アメリカ以外の国が持っているドルと、アメリカが新しく刷るドルの間には明確な価値の差がついている。

2020年と比べて米国債はメルトダウン的な利回りの上昇により、その価値を半減させている。それならばドルの価値も暴落しそうなものだが、ドルが堅調なままだということは、つまり現在のドルの所有者が中国や中近東、日本に移っているからだ。それらの国に信用があるから、ドルが暴落していないという理屈である。ドルが今後どうなるか、その命運はこれらの国々が握っているのだ。

トランプ大統領誕生後には、FRBを潰したうえで、ドルに代わる新通貨を発行する可能性も情報筋から聞こえてくる。

実はオバマ政権の最初の頃にも、アメロという新通貨を発行しようとしたことがあった。正式名称は「北米通貨連合=The North American Currency Union」で、米ドル、カナダドル、メキシコ・ペソを統合した新しい単一通貨を導入して、EUのような経済共同体をつくろうとしていたのだ。

ただしアメリカの目的はそれだけではなかった。1アメロをこれまでの2ドルに設定して、このレート変更によって中国からの借金を半減させようとしていたのだ。

現在のドルをそのまま「通貨切り下げで半額にする」となると反発が大きくなるため、新通貨アメロに切り替えることで、なんとかごまかそうという算段だった。

アメリカはキンキラの虹色をしたゴージャスなアメロ紙幣をつくり、大量のアメロの札束を中国に持っていったが、中国側が損をするような話が受け入れられるわけがない。

また、第二次世界大戦後にはアメリカが世界のGDP（購買力平価＝PPPベース）の5割を占めていたため、ドルが世界通貨として通用していたが、アメロの案を出した時点でアメリカのGDPは世界の2割でしかなかった。そのため中国から「アメリカが全世界の共通通貨をつくる権利はもうない」と言われ、アメロの計画は中止になった。

それでもオバマの時代に新通貨をつくろうとして話が進んでいたことは事実であり、アメリカが完全に破綻状態となってしまえば、余計に通貨切り下げなどもやりやすくなる。

その時には、トランプの肖像が入った「トランプ紙幣」が発行されることになるかもしれない。

加速する「GAFAM」凋落の流れ

ＧＡＦＡＭの株主はヴァンガード、ブラックロック、ステートストリートといった大手投資会社であり、別々の会社に見えても実質的にはすべて仲間のようなものである。そしてそれらの投資会社はいずれもロックフェラーやロスチャイルドの配下だということを、まずは認識しておかなければならない。

トランプは、フェイスブックを「国民の敵」と言ってはばからない。２０２４年３月に出演したテレビ番組でも同様の発言をすると、フェイスブックを所有するメタ社の株価が一気に約４％も下落する事態となった。

トランプはこれまでティックトックについても「中国のスパイ企業」として個人情報保護の観点から批判的な態度を見せていた。ところがここにきて態度を翻し、「ティックトックがなくなれば〝国民の敵〟であるフェイスブックが利益を得て、大規模化する」と言い始めた。これほどフェイスブック嫌いが徹底しているのだ。

トランプとメタ社会長のマーク・ザッカーバーグの因縁は、2020年の米大統領選に端を発する。ザッカーバーグはこの選挙において、選挙運営の実務を支援していた。だがその支援はトランプの共和党ではなく、バイデンの民主党の強い地域に偏っていた。

つまりトランプに言わせれば「ザッカーバーグは選挙泥棒の一味」ということになる。トランプが大統領となった日には、メタ社を率いるザッカーバーグの逮捕まであり得るだろう。

メタバースで世界規模のバーチャル空間をつくろうとしたメタ社の試みは完全に失敗に終わった。日本の一部企業では会議等で利用され、企業相手に収益を回復させているとの報道を見かけるが、これもプロパガンダの類でフェイクニュースだろう。

メタ社が運営するインスタグラムに関しては現在も業績は好調だが、カナダなどではニュース掲載に関してトラブルとなり、インスタグラムはニュースの対価支払いを拒否したうえ、ニュースの掲載自体を停止している。

また、ザッカーバーグは公聴会の司法委員会で、インスタグラム上の児童性的虐待コンテンツの斡旋を追及され、謝罪をさせられている。

インスタグラムの独自のアルゴリズムを解析すると、本来は検閲によって排除されるべき小児性愛者向けの情報が検閲を潜り抜けて流通していたという。つまり小児性愛者に、その種の情報が繋がりやすいようなアルゴリズムになっていたというのだ。

子供の性行為が見たいとか、性売買を希望するような投稿は検閲されず、新型コロナワクチンにまつわる健康被害に触れると、たちまち検閲されてしまうのだから、どうにも納得のいかない話である。

フェイスブックの根本の問題は、国家の研究によってつくられた技術であるにもかかわらず、民間の企業がそれを独占的に使っていることにある。

2010年公開の映画『ソーシャル・ネットワーク』で描かれたフェイスブック立ち上げまでのストーリーは、まったくのフィクションで、実際にはCIAが開発したプログラムがフェイスブックに使用されている。ザッカーバーグはデイヴィッド・ロックフェラーの孫であり、フェイスブックの技術はロックフェラー家の力を使ってCIAから譲り受けたもので、自分でつくったものでもなんでもない。

これはマイクロソフトのビル・ゲイツも同じで、「大学を中退して会社を興して」

などという立志伝はまったくのつくり話。実際にはＩＢＭ関係者のお嬢さんと結婚して、その技術を丸ごともらっただけである。

またアップル創業者のスティーブ・ジョブズも、もともとはテキサス・インストゥルメントという会社の研究所が開発した技術を多く使っている。ただしジョブズにはそれをヒット商品に育て上げるアイデアがあった。

アップルは、スティーブ・ジョブズという天才がｉＰｈｏｎｅという素晴らしい発明をして大成功を収めたが、ジョブズが亡くなってからはそれに代わるものを世に出していない。アップルウォッチはまずまずのヒットとなったが、これもジョブズの考えたものだった。

それ以降となるとまったくパッとしない。ジョブズの時代には他の人間がダメだろうと言ったことでもうまくいったが、この先は難しいだろう。

今後アップルは、高額商品のアップルビジョンプロに社運を懸けるという。日本よりも先に発売されたアメリカでは定価で５０００ドルというから日本円だと約75万円。かなり高価なものだ。たしかに画質は驚くほどすごい。しかし、実際に購入した人たちの多くは、早くも返品しようとしているとも聞く。とにかく重すぎて、首が痛くなるし、めまいもするというのだ。

主力商品のiPhoneも近年は目覚ましい新機能が生まれていない。iPhone15と14で何が違うかといえば、カメラが微妙によくなったことと、端子がUSB Type-Cになったことぐらいしかない。逆に発熱したり、電池がすぐに切れたりと、不満の声も多いようだ。今では中国でも売り上げ下がっており、先行きは暗い。

トランプ政権で解体されるGAFAM

グーグルは半導体大手のエヌビディアに時価総額で抜かれ、これまでの3位から4位になったが、それはマネーゲームの中でのことだから、さほど大きな問題ではない。

では何がグーグルの問題かというと、独占禁止法をはじめとする様々な法律面でのトラブルだ。検索エンジンシステムやネット広告の独占にに関して、ニューヨーク州をはじめとする各州や米中央政府、ＥＵ、カナダなど、多くの公的機関から提訴され、現在も裁判は進行中である。

グーグルは検索システムを独占していているから、その先のページの広告も独占している。ネット上のあらゆることがグーグルに有利になっている。

そのためＦＯＸニュースなどのメディアからは、コンテンツの盗用、著作権違反などで提訴されている。

実際に現場で取材をし、情報を得て、発信されたものが、グーグルに無断で引用されて、そこにグーグルが広告を打っている。この時に、元のデータをつくった個人や企業に広告代金は入らない。

グーグル傘下のユーチューブは、一時期英語圏での検閲がひどすぎて、チャンネルをバンされる（すべての動画が公開されなくなる）配信者が、日本と比べものにならないほど増加した。かくいう私自身もグーグルの検閲のせいでユーチューブのページをすべてバンされている。代わりに独自の英語版サイトを立ち上げて、アクセス自体は好調だが、私のようなブラックリストの人間のページにグーグルから広告が回ってくることはない。

ユーチューブでのバンが増えすぎたせいで、今では多くの人が、ビットシュートやランブルなど、多様な動画配信サイトへ移り始めた。日本では現在も、動画配信＝ユーチューブという認識が強いが、海外では代わりとなる動画配信サイトが増えているのだ。

だがグーグルを最も脅かすのはそういったライバルの動画配信サイトではなく、政府権力だ。バイデン政権のうちは、同じディープ・ステートの配下ということで守られるだろうが、トランプ政権になれば法令に則って、独占禁止法違反で厳しく罰し、グーグルをいくつかの会社に分割する命令が下されるとみている。

マイクロソフトに関しては、ＩＴ企業としての業績とはべつに、ビル・ゲイツのワクチン営業が問題だ。自ら「ワクチンを使って人口を減らすことができる」と発言し、ワクチン騒動で億単位の人を殺す元凶となったＷＨＯにも、その資金の多くをゲイツが出している。インドでは「ビル＆メリンダ・ゲイツ財団のワクチン普及活動のせいで68万人が死んだ」として、夫婦そろって追放され、今後はインドに入国できなくなったとされる。

ビル＆メリンダ・ゲイツ財団は、アフリカでも若い女性に銃を突き付け「不妊注射をしないと殺すぞ」と脅迫したとされ、これも問題になっているという。

トランプ政権になれば、アメリカでもワクチン騒動の戦犯として、法の裁きを受けることになるだろう。

ＧＡＦＡＭのなかでもアマゾンだけは、うまくいっているように見える。ジェフ・ベゾスもディープ・ステートの仲間ではあるが、配送業に関しては非常に優秀で、大量の従業員を雇い、安く、早く、注文の品を顧客に届ける仕組みは他企業の追随を許さない。ＩＴ関連では、アマゾンが提供するクラウドサービスのＡＷＳは世界ナンバーワンシェアを誇り、加えてＣＩＡのＩＴ系業務の下請けも行っているとされ、ＩＴ分野でも安定した業績を出し続けると予測される。しかし、そんなアマゾンも、トランプ政権になれば独占禁止法などを理由に、分社化を命じられる可能性はあるだろう。

ＧＡＦＡＭ全体としての一番の問題は、やはり物を製造する能力の欠如だ。いくらバーチャル世界で業績を残したところで、いざとなればものづくりのほうが重要となる。

「触れたものをすべて黄金に変える」というミダス王の神話があるが、これと同様に、いくら金を生み出したところで、それだけだと最後には飢えてしまう。現在の米経済はそんなミダス王の神話の現代版なのだ。

いざという時にデジタルは腹を満たしてくれないし、身体的な労働の代わりもしてくれない。GAFAMが現在のビジネスを続けていれば、米経済は衰退の一途をたどることになるだろう。

米軍良心派からXを譲り受けたイーロン・マスク

GAFAMの創業者たちとは異なるベクトルで存在感を見せているのがイーロン・マスクだ。マスクは軍産複合体の研究を民間で運用する役割を担っている。

マスクの父であるエロール・マスクは「南アフリカの天才エンジニア」と称されるが、その父、つまりイーロンの祖父はナチスという説もあり、真偽不明の陰謀論だが「ナチスが月に行った」とされる時代のロケット科学者だった。マスク家は、父エロールの代になって南アフリカに移住したが、本当の目的地はナチスの秘密基地があった南極だったと考えられる。

南極はどこの国の法律も及ばないし、外部のスパイが来ることもない。そのため世界中で禁止されている危険な人体実験もやりたい放題で、科学研究において無法地帯となっていた。

世界各地にあったナチスの秘密基地では、戦後もロックフェラーの援助で研究を続けていたが、その成果をアメリカが独占するためにつくられたのがネバダ州レイチェルにある米空軍基地のエリア51だ。

エリア51で行われる実験を隠すため、あえてUFOや宇宙人の噂を流し、実験によって起こる異常現象が発覚しても、それを「宇宙人の仕業」にしてきた。

マスクの父エロールとエリア51との関連は定かでないが、ともかくマスクが現在のアメリカにおいて、米軍良心派のバックアップを受けていることは確かで、DARPA（ダーパ＝米国防高等研究計画局）のインテリジェンスを担う部署であるNRO（米国家偵察局＝国防総省の諜報機関）に属しているとされる。

テスラの電気自動車も、スペースXのロケット技術やスターリンク（衛星）なども、すべてはダーパの開発した技術を商業化したものだ。

さらに、マスクがX（旧ツイッター）のオーナーとなった裏にも、米軍の存在がある。

2017年、サウジアラビア政府が数百人の王族たちを首都リヤドのリッツ・カールトンホテルに「腐敗撲滅キャンペーン」という名目で監禁する事件があった。ムハンマド・ビン・サルマン皇太子がサウジアラビアの実権を握ることになった事件だが、反汚職委員会が監禁・逮捕したうちの1人に資産家のアル＝ワリード・ビン・タラールがいた。この時、タラールは釈放の交換条件として、自身の会社で所持していたXの利権を手放し、それを手に入れたのが米軍だった。

そもそも監禁事件自体、サルマン皇太子を米軍がバックアップして行われたという情報もあり、その目的の一つがXだったとされる。米軍が大衆向けの世論づくりの道具としての有用性を見込んでのことと予測される。

米軍がサルマン皇太子をバックアップしていることの根拠になりそうなのが、2018年に起きたサウジアラビアのジャーナリストが暗殺された事件だ。CIAはサルマン皇太子をこの事件の黒幕と指摘したが、当時のトランプ大統領はその報告書の公表を拒否した。トランプ＝米軍が、サルマン皇太子の暗殺事件への関与の証拠を握り潰し、その結果、サルマン皇太子が罪に問われることはなかった。

こうして米軍のものになったXが広報役のマスクに引き継がれ、Xは情報戦における米軍良心派の重要な武器として使われることになる。

強固な協力関係にあるトランプとマスク

米国民から「次期リーダー」としての期待をかけられ、人気も高いマスクだが、外国生まれという理由から米大統領になることはできない。

とはいえ、現在の米大統領になんの権限もないことは、操り人形状態になっているバイデンを見れば明らかだ。痴呆症で、最底クラスの認知機能しかないにもかかわらず米大統領を名乗る。そんな名目だけの米大統領に、世界を動かすほどの大きな力はない。バイデンはディープ・ステートの広報マンにすぎないが、トランプが米大統領になったとしても米軍良心派の広報マンという立場以上の権限を持つことは難しいだろう。

このように米大統領に大きな権限がなくなった状況で、マスクが政権中枢に関わるとすれば、表の役職には就かず、裏側から権限を行使していくことになるはずだ。マスクは、カールソンによるプーチンのインタビューの際も、トランプとともにロシアにいた。インタビューをXで宣伝したのだから、マスクとトランプは、少なくとも現段階においてはかなり強固な協力関係にある。そもそもトランプによる2019年の宇宙軍設立にもマスクは深く関与しており、それが現在のスターリンクの打ち上げ事業の活況などに繋がっている。

マスクはトランプ支持こそ明らかにしていないが、これは「協力関係にある」と公言してしまうと「Xは中立でない」ことになり、それを避けたいところがあるのだ。

マスクは最近、ブラック・サンという秘密結社のトップになったとの情報もある。ブラック・サンとはバチカンなどの上位組織であり、イタリア周辺のフリーメイソンのグランド・ロッジP3のメンバーで構成されている。情報筋によれば、メンバーの高齢化が進んだため、次の世代を牽引してもらうために、マスクをトップに立てたという。

脳内チップによる人類の〝幸福の追求〟と〝奴隷化〟

2024年1月29日、マスクはXに「昨日、初めて人間がニューラリンクの移植手術を受け、順調に回復している」「神経細胞の信号の探知もうまくいっている」と投稿した。

マスクの創業したニューラリンク社はこの日、初めて人の脳にチップを埋め込む手術を行い、今後開発が進めば、全身の筋肉が衰える難病のＡＬＳ（筋萎縮性側索硬化症）などの患者が、考えるだけでコンピュータを操作できるようになるという。

人間の脳内に半導体チップを埋め込む技術は、アメリカやロシアなどの軍の特殊部隊でかなり昔から研究が進められており、すでに70年代には脳を刺激することで喜怒哀楽の感情をコントロールする実験が秘密裡に行われていたという。

ネズミの脳を刺激して行動を操作する実験は、さらに昔から行われており、動物の脳にワイヤーを入れて電流を流すと、その部位によって行動を変えられることが立証されている。

これらが人体にも適応するかどうかを調べるために、刑務所の囚人で極秘の人体実験を行ったところ、同様の結果が得られたとの情報もある。

また、60年代のアメリカでは、ヒッピーたちに薬を配って、薬物によって感情や行動をコントロールするための実験も行われていた。

マスクのニューラリンク社は、脳内チップの実用化に向けて第一歩を踏み出したわけだが、これが突破口となって今後は加速度的な技術の進化が見込まれる。

脳ではなく、体内にチップを入れることは、ペットにGPS機能を備えたマイクロチップを埋め込むなど、かなり身近なものとして受け入れられつつある。埋め込む方法も、チップを注射するだけの簡単なものだ。

おそらく近い将来、認知症患者の徘徊対策として使われるようになるだろう。そうして身体に何かしらのチップを入れることが当たり前のことになれば、体調管理や病気を察知するようなチップを、健常な人も埋め込むことが当たり前のことになる可能性は高い。

このような計画は、ディープ・ステートでも構想されていた。最終段階として、全人類の脳内にチップを埋め込んで、行動管理はもちろんのこと、リモコン操作も可能なロボット人間にするというのがディープ・ステートの計画だ。全人類をネットと接続させて、直接的な苦しみを与えて「言うことを聞かなければこうなるぞ」と脅し、人々を調教し、奴隷化していく。殺人電波を流すことで一気に人口削減することも視野に入れていただろう。

携帯電話から、ある周波数の電波を発生させて、体内のチップを反応させることは、技術的には出来上がっており、ディープ・ステートの計画は、チップの埋め込みさえ完了すればすぐにでも実現可能なのだ。

一方、マスクや米軍良心派の計画は、チップを埋め込むところまでは同じでも、その目的はかなり異なっている。

携帯端末などのガジェットを使わずとも、脳内にユニットを入れることで脳を直接スーパーコンピューターに繋げることが可能になり、それによって生活の快適化や新たな能力の開発を促そうというのが、マスクたちの最終的な目的だ。こうした思想は、能力主義を掲げて超人を志向するイルミナティ・グノーシス派の考えに基づいたものである。

同じ技術が使い方によってまったく異なる結果を生み出すということは、決して珍しいことではない。たとえば監視カメラの顔認識ソフトも、防犯を目的とするか、管理を目的とするかで、その意味合いは大きく違ってくる

90年代以降、航空機はパイロットの意思とは関係なく遠隔操縦できるようになった。これは本来、ハイジャック犯対策として考えられたものだった。しかしこの技術が悪用されて、意図的に旅客機を墜落させる事件がすでに何度か起きている。

最近では自家用車も、自動運転化に伴い遠隔操作が可能になりつつある。警察が犯罪者の乗った車を追いかける時、あるいは運転手に何かのトラブルが起きた時に、その車を強制的にストップさせるという使い方を想定した遠隔操作技術だ。しかし、遠隔操作によって不正を追及するジャーナリストや企業の内部告発者、政治権力への敵対者を事故に見せかけて暗殺する事件も起きている。

マスクの場合は「脳内にチップを埋め込むことでこんな可能性がある」「素晴らしい未来がある」と提示しているのであって、決して全人類に強制する類のものではない。

一方、ディープ・ステートは、新型コロナワクチンのように、全人類に強制して

完全管理することが狙いだ。

恐ろしいのは、本当に全人類をリモコン操作できるようになった時、仮に最初の計画が人類の幸福を追求する理想的なものだったとしても、管理者が替わった場合、どうなるかわからないということだ。

新国家「アメリカ・カナダ共和国」の誕生

アメリカの破綻と、トランプ政権下での復興に向けて、最大の変革として画策されているのが、アメリカとカナダが合併する「アメリカ・カナダ共和国」の誕生だ。

現状を比較すると、完全に破綻状態のアメリカと、まだ健全な状態を保っているカナダの合併は、カナダにはなんのメリットもない。アメリカが生き延びるためにカナダにすがるような状態になることは間違いない。しかし、カナダにはカナダなりの事情がある。

カナダのジャスティン・トルドー首相は退任の瀬戸際まで追い込まれており、国民からは石を投げられ、ブーイングされる始末で、すっかり死に体になっている。トルドーに対するカナダ国民の大きな反発の原因の一つには、ワクチン利権がある。トルドーの首相としての報酬は年間35万ドルだが、彼は直近2年間で3億ドルもの資産を増やしている。そしてその内訳を見ると、大半がワクチン利権だったのだ。それも政府のカネを使って製薬会社の株を購入するなど、かなり悪質なやり口だった。

2021年のカナダの総選挙での不正選挙の疑惑も持ち上がっている。私の予想だとトルドーはそう遠くないうちに、ウクライナ大統領のウォロディミル・ゼレンスキーや米国務次官を退任するのが間近のビクトリア・ヌーランドたち、いわゆるナチス派閥とともに粛清されることになる。トルドーに代わる首相となると、現在は野党・カナダ保守党のピエール・ポワリエーヴル党首が持ち上げられているが、政権担当能力は未知数だ。

現在のカナダの政治体制が崩壊した時、ここでもトランプが救世主的に登場することになる。カナダ人のトランプに対するイメージは、アメリカとあまり違っておらず、支持する人も多い。

日本ではあまりにも反トランプのプロパガンダがすごいために実感がないかもしれないが、世界のトランプに対する評価は「ちょっと言葉が汚くて、品はないが、実行力のある政治家」というもので、一般人からトランプの政治ポリシーなどを糾弾する声が聞かれることはほとんどない。もっとも、その品のなさが日本人の気質にそぐわないところはあるのだろう。

繰り返すが、現状のままアメリカと統一すればカナダにとってかなり不利であることは間違いない。1人当たりのGDPはアメリカのほうが高いが、それは「山手線の車両にビル・ゲイツがいたら、その車両の人たちの1人当たりのGDPがものすごく高くなる」というのと同じ意味でしかない。むしろビル・ゲイツに車両ごと買い占められて、自由に着席することも許されなくなるかもしれない。

要するに、アメリカの場合、一部の人間に富が集中しているだけで、米国民全体のGDPの中央値となると、実は3万ドルしかない。一方、カナダの中央値は8万ドルで、つまり国民全体の格差は、アメリカに比べてはるかに小さい。

犯罪率でみてもカナダはアメリカの数分の1でしかなく、社会全体がしっかりとしている。だから合併する際の理想としては、カナダを基準として、それにアメリカを合わせていくような形になる。これは潰れてしまった大企業が、健全経営をする中規模の会社に乗っ取られて、トータルで改善されるようなイメージだ。

軍事面に関しては、もともとアメリカが主導する協調体制を取ってきた。現在はともに「ファイブ・アイズ」の構成国で、アメリカ、イギリス、ニュージーランド、オーストラリア、カナダの間で機密情報共有の枠組みも築かれている。

この5カ国の人種はアングロサクソンがベースで、英語をしゃべり、長い歴史のどこかで同じルーツを持っている。だから外見はもちろん、性格や文化風習も似ており、カナダ生まれの私から見ても、アメリカとイギリス、オーストラリアの人と話してもあまり区別はつかない。日本でたとえるなら、関西と関東の違いほどしかない。言葉の訛りは若干異なっていて、英国式のクイーンズイングリッシュとなるとかなり特徴的だが、見た目や発想にはほとんど違いがない。

また、カナダにはこんな言葉がある。

「しっかり勉強して、いい大学へ進学して、頑張って出世すれば、そのうちカナダを卒業できる」

つまり優秀な人間はみんなアメリカへ行くという意味だ。実際、アメリカで活躍

する スポーツ選手やハリウッドスターも1割程度はカナダ人だ。当人たちはあまり「自分はカナダ人だ」と名乗らないが、カナダ人の多くはそのことを知っている。

米4大スポーツに挙げられるアイスホッケーのNHLはカナダで最も人気のあるスポーツで、野球のメジャーリーグにもカナダのトロントを本拠地とするブルージェイズがある。

だから一般の人々の感覚として、アメリカとの合併に大きな違和感はないし、むしろ望ましく思うカナダ人も多いだろう。

北米だけでなく、南米も合併しようということになると、これはなかなか難しい。南米の一部の国は、カオス状態となったアメリカよりも犯罪率が高く、世界の犯罪率が高い50都市のうち48が南米だ（残りの2つは南アフリカ）。犯罪率も格差の問題も北米とはケタ違いで、経済的にも豊かな国は少ない。これでは合併を主導するアメリカのメリットが見出しにくく、南北アメリカの合併は不可能に近いと言わざるを得ないのだ。ただし今後は、北米と南米の間で、もっと平等な新しい関係が築かれていくことになるだろう。

アメリカを地獄から救うトランプ〝新〟大統領

国境を越えてメキシコからアメリカへ流入してくる不法移民は、2023年には確認されているだけで200万人超。密入国したケースも含めると、年間で1000万人にもなるとの推計もある。その人種もヒスパニックや中華系など多種多様だ。アメリカの総人口は約3億3000万人で、1000万人は約3%。日本に当てはめると約1億2000万人の3%は約360万人。それだけの数の身分証明書も持たない外国人が流入してくることを想像すれば、いかに異様な事態か理解できるだろう。

しかもその不法移民は、レイプや強盗など、様々な犯罪を引き起こしているのだ。そんなカオス状態をどうにかしてほしいという米国民の声を、現時点で一手に引き受けているのがトランプなのだ。

トランプがトップに立てば、強権を発動して、不法移民も麻薬中毒者も、不当に稼いでいる（庶民からはそう見える）鼻持ちならないエスタブリッシュメント連中も、すべて一掃してくれる。

そんな考えを持っているのがトランプ支持層の中心であり、そしてその考えは大きく間違ってはいない。

先に述べた通り、戒厳令を発出してカオス状態をいったんリセットし、米軍による統治の下で、新たに再生していこうというのがトランプとその背後にいるグループの考えだ。

不法移民排除についてトランプは、「人種差別的」「ゼノフォビア（外国人嫌い）」などの批判を受けてもなお、「不法移民はアメリカの血を汚している」と言い続けており、是が非でも実現させるだろう。

不法移民であっても、まだ働いていればいい。米国民がやりたがらない過酷な肉体労働を彼らが引き受けてくれている現実もある。だが何も仕事をせず、補助金頼りでウロウロしているだけの不法移民があまりにも多い。それが問題なのだ。

トランプの不法移民への批判のなかで、アジア系について触れる機会が少ないのは、アジア系移民は概して働き者だからだ。中華系移民はすぐに彼らのコミュニティへ溶け込む傾向にあり、労働も厭わない。また、中国からの移民には、共産党体制に反対して逃げてきている人も多い。香港が中国に返還された1997年には、とくに大勢の中国人がアメリカやカナダへ逃げてきた。中国共産党を敵視するトランプからすれば「敵の敵は味方」というところもある。

ただし、中国からの移民のなかには、共産党に忠誠を尽くす者もおり、かつてカナダの中華街で、台湾系中国人と共産党系中国人の争いが繰り広げられたこともあった。

ちなみに、アメリカではたびたび大きな暴動が勃発するが、これは移民ではなく、低所得で生活に困窮する米国民が中心となる。

ここまでに述べてきたように、不法移民が大量に流入して治安が悪化し、超格差社会で貧困層があえぎ苦しむという苦境をアメリカにもたらしたのは、現在のバイデン政権を含むディープ・ステートだ。「自分たちだけが儲かる社会の仕組み」をつくり上げてきたディープ・ステートによって、アメリカは待ったなしの地獄の状態を突き進んでいる。

そして、これを打倒して、新たな変革をもたらそうとしているのが、トランプと米軍良心派のグループなのだ。

アメリカにトランプを大統領とする軍事政権が樹立した時、ディープ・ステート側の人間は何十万、何百万人レベルで逮捕されるだろう。

その時には全米の警察組織やシェリフ（保安官）の組織もトランプを後押しすることになる。警察や保安官の組織も、上位の役職になるとディープ・ステート側の者が少なくないが、現場で数々の深刻な問題に直面している末端の警察官や保安官は、大多数が「バイデン政権はおかしいぞ」と気づいている。

警察はすでに機能不全の状態で、万引き犯がいても捕まえず、救急・消防・警察の緊急通報番号である「911」へ電話をかけても出る者はいない。通常の活動をするための予算も尽きているのだ。

保安官の組織が「国境問題をどうにかしなければいけない」と、代表者をワシントンD.C.に送ったことがあった。しかしその時、バイデンは会おうともしなかった。

トランプ政権樹立後、バイデン政権に不満を募らせていた末端の警察官や保安官が治安維持のために働いてくれるのであれば、アメリカがいったんカオス状態になったとしても、復活の日はそう遠くないだろう。そう私は信じている。

第2章

「もしトラ」で〝激変〟する世界情勢

カオス、惨事、殺し合い、処刑……

私が将来の予測を述べる時、具体的な日にちを言うことはほとんどない。支配者層の計画はその時々の事情によって変更されていくものであり、それで私が摘示した月日が間違った結果になれば、「嘘つき」のレッテルを貼られてしまうからだ。

だが今のアメリカが2024年11月の米大統領選を待つことなく崩壊に至るということについては、かなり強い確信がある。

アメリカだけでなく、世界は今、フランス革命の再来というべき歴史的な転換点を迎えようとしている。

フランス革命では、ブルボン王朝を頂点とするアンシャン・レジーム（旧体制）を打倒したところまではよかったが、いざ倒してみると代わりに立つ統治者がいなかった。

今回アメリカで起こるであろう変革のあとには、トランプが新たな統治者として立つことになる。トランプのバックには米軍がついているため、そうおかしなことにはならないとは思うが、どのような状態になるかは実際に統治が始まってみないとわからない。

旧体制が崩壊したのち、カオス、惨事、殺し合い、処刑と様々なことが起き、米国民は疲弊することになるだろう。とはいえ変革が起きず、バイデンが2期目の大統領となれば、米社会は今よりもさらに深い谷底へ落とされることは確実だ。社会秩序は完全崩壊し、場合によっては、国内を二分する内乱が勃発する。

そのような事態を避けるために、現在、米軍を中心に様々な裏の動きが活発化している。実際、米軍関係者からは、現体制を打倒するために粛清しなければならない具体的な標的も定めていると聞いた。

スイスのある学者の調査によれば、グローバルに展開している国際的な大企業の9割は、わずか700人によって運営されているという。逆に言えば、その700人にポイントを当てれば、今の社会をひっくり返すことができる。あまり詳細な言及はできないが、このような方向で軍事作戦が進められている。

トランプの「打倒ディープ・ステート」の決意

トランプの掲げるスローガン、「Make America Great Again（MAGA＝偉大なアメリカを取り戻す）」「アメリカ・ファースト（アメリカ第一主義）」について、多くの日本人は誤解している。とくに「アメリカ・ファースト」は「国粋主義」「覇権主義」「人種差別主義」と批判的に受け取られることが多いが、これらは実際のニュアンスとかなり異なる。

最初に「アメリカ・ファースト」という言葉が使われるようになったのは、第一次世界大戦の時期だ。「アメリカ人にとっていちばん大事なのはアメリカ国内のことであり、他国の戦争に介入している余裕はない」という考えから、国際的に中立であることを表明するための言葉だった。そしてトランプの言う「アメリカ・ファースト」も、それとほぼ同じ意味なのだ。

第二次世界大戦以降のアメリカは、世界の覇者を目指して様々なプロジェクトを展開してきた。だがその半面、アメリカの国力は衰退し、アメリカ国内のインフラはほったらかしになり、アメリカの国民は貧しくなってしまった。だから世界の覇者を目指すようなことはもうやめて、「アメリカに豊かさを取り戻す」ことを優先しようというのが、「アメリカ・ファースト」に込められた真意である。

トランプが「防衛費を相応に負担しないNATO加盟国は守らない」とたびたび発言しているのも「NATOを見捨てる」と言いたいわけではない。大統領時代には、EUを「敵」とまで言ったこともあるが、本音のところでは「資金や軍備の面でアメリカばかりに負担がかかる現状を保つのは、経済的にもう無理」と、アメリカの窮状を訴えているのだ。

大統領になる前のトランプは、この「アメリカ・ファースト」さえ実行していけば、アメリカは豊かさを取り戻せると考えていた。しかし、いざ大統領になってみると、想像をはるかに超えてアメリカを取り巻く状況が最悪なことを知る。

ここでトランプは、諸悪の根源であるディープ・ステートの打倒へと舵を切った。

これまでの世界はロックフェラーやロスチャイルドらディープ・ステートの思惑によって動かされてきた。そしてアメリカは、ディープ・ステートの目的を達成するための〝手駒〟として利用され続けた。米国民は何十年もの間、ディープ・ステートにだまされ、搾取されてきた。そんな絶望社会を変革しなければならない――トランプの気持ちを代弁すれば、きっとこういうことになるだろう。

アメリカやイギリスなどのアングロサクソンは「我々は貴族と戦って、自由で平等な民主主義の社会を勝ち取った」という歴史認識を持っている。それなのに現在のアメリカや欧州は、いつの間にか超格差社会となり、まるで貴族支配そのままの状況になっている。だからそれを終わらせたい。一部の選ばれた血筋による支配はもうごめんだ、というのが、トランプとそれをバックアップするグループの行動理念になっている。

実質的な倒産状態にあるアメリカは、もはや世界に対して命令する力も権限も持っていない。それを認めたくないアメリカの現体制＝ディープ・ステートに対して、他の国々は「もう勘弁してくれ」とノーを突きつけている。GDP（PPPベース）は世界全体の2割程度、人口は世界の4％にすぎないアメリカが、全世界を支配することはもう終わらせたい――。こうした意識の変革が世界中で起き始め、ハザール王国が崩壊した約1000年前に始まったディープ・ステートによる世界支配計画は、確実に終焉へ向かっている。

トランプ大統領誕生でウクライナ支援は打ち切り

トランプは「自分が米大統領選で当選すれば、24時間以内にウクライナ戦争を終結させる」と宣言しているが、その詳細な手法は明らかにしていない。「単なるホラ吹き」と思う人も少なくないだろう。

だが2024年3月にトランプと会談したハンガリーのオルバーン・ヴィクトル首相は「トランプが米大統領選で再選した場合には、ウクライナへの資金提供を打ち切るだろう」と発言し、さらに「ロシアとウクライナの戦争を終わらせる方法についてトランプは、かなり詳細な計画を立てている」と語っている。

会談はアメリカで行われたが、この時にヴィクトルはバイデンに対して面会すら求めなかったという。外国首脳が現政権ではなく、前大統領とだけ会談するというのは異例中の異例で、このことからもヴィクトルの特別な立ち位置が見えてくる。

ヴィクトルはトランプにとって長年の盟友であり、また、ロシアのウクライナ侵攻が始まって以降もプーチンと緊密な関係を維持している。今後の欧州において確実にキーマンの一人となるだろう。

トランプがウクライナ戦争の継続に否定的ということは、そのバックにいる米軍良心派も同じ意見ということだ。事実、アメリカの正規の軍はウクライナへ入っていないし、米空軍も戦闘機を供与していない。

現在アメリカがウクライナへ供与している武器は、民間企業が購入したものだ。民間企業は国家安全上の理由で最新兵器を購入できないので、西側の最先端の兵器がウクライナへ投入されることはない。民間の武器商人が世界中から中古武器を買い漁ってウクライナに注ぎ込んでいるのが実状だ。

オランダやベルギーは戦闘機を供与しているが、これも2世代ぐらい前のF-16であって、F/A-18でもなければF-35でもない。もちろんエリア51で極秘開発されたUFOが投入されることもない。

アメリカの正規軍もイギリス軍も、EU各国の正規軍もウクライナの地を踏んでいない。ウクライナ兵以外で戦っているのは、民間企業が雇った傭兵たちである。

つまり現在行われている戦闘は国家間の戦争というよりも、民間企業vsロシア国家の戦いというのが正しい。

ウクライナ戦争は実際のところ2023年の時点で、「ドニエプル川を境にして、東側をロシアのものとする」という条件で、ロシアと欧州の上層部の間で決着している。あとは、ドニエプル川の西側をこれまでどおりにウクライナの領土とするのか、それともドイツやポーランドにも一部分割するのかといったことで、最終的な調整が行われている段階だ。

〝マフィアの手先〟ゼレンスキーとウクライナの悲劇

前述したタッカー・カールソンによるプーチンのインタビューでは、プーチンが和平に向けての仮決定にサインをする寸前だったことも明らかになった。

だが当時のイギリス首相だったボリス・ジョンソンがキーウを電撃訪問して、これにストップをかけた。ＭＩ６からの情報によると、ジョンソンはディープ・ステートから多額の賄賂を受け取っているという噂もあり、いずれにせよウクライナ戦争後にジョンソンは、戦犯の一人として裁きを受けるだろう。

戦犯といえば、ゼレンスキーも裁かれる。ゼレンスキーが他国からの援助金を流用して私的に蓄財をしていたことは、もはや周知の事実となっている。また2024年2月、ドンバス地区での戦闘の要衝、アウディーイウカが陥落すると、ウクライナ軍の施設からは様々な拷問が行われていた証拠が見つかっている。こうした戦争犯罪についても、戦時国際法に則って裁かれることになる。

また、今後はウクライナ戦争で隠されていた真実が、次々と暴かれていくだろう。アウディーイウカ陥落の直前、ウクライナ軍のヴァレリー・ザルジニー総司令官が解任された。ザルジニーはディープ・ステートと関わりのない、いわゆる普通の愛国者だったと聞いている。そんなザルジニーが解任された直後に、アウディーイウカが落とされたこともまた、この戦争が出来レースであることを示している。

ロシアの傭兵会社ワグネルはロシア軍の主力を担ってきたが、ロシア政府高官は公の記者会見で「ワグネルはロシアではない」と語った。結局、ワグネルもゼレンスキーも雇い主は同じで、ディープ・ステートが両方を操って戦争状態をつくっていたのだ。

ウクライナの多数の一般男性が徴兵の名目で拉致され、最も戦闘の激しい地域に送り込まれ、4時間以内に全員が戦死したという情報もある。これは、事前にウクライナ軍がワグネルへ情報をリークし、狙い撃ちにされ全滅したということだろう。

実際に「ウクライナ軍とワグネルはグルだ」という趣旨の記事がワシントンポストのウェブサイトに掲載されたこともあったが、すぐに削除された。

死亡したウクライナ兵たちの臓器が抜き取られているとの情報もある。ウクライナ議会はこの戦争の前から臓器移植を推進する数々の法律を採択しており、遺体はもちろん、入院している負傷者からも、家族の承諾なしに移植用臓器の摘出ができるような法整備がされていた。臓器売買までもが事前に画策され、あまりにも悪辣なウクライナ側の行為に対し、ロシア議会が「とんでもない政権だ！」と批判したほどである。

ウクライナ人男性は戦地へ送られて死ぬか臓器を取られる。ウクライナ人女性とその子供は、人身売買の憂き目にあう。これこそがウクライナ市民に振りかかった本当の戦災であり、西側メディアで英雄とされてきたゼレンスキーは、大虐殺と臓器売買、人身売買を担当したマフィアの手先なのだ。

　こうしたことを大手メディアもようやく少しずつ伝え始めている。一度にすべての真実を明かすと受け手のショックが大きすぎるため、それらの情報はこれから小出しにされていくだろう。

　数々の悪事のせいで、もうゼレンスキーはウクライナ領内に入ることすらできない。ウクライナで撮ったとされるゼレンスキーの映像は、たいていがフロリダのスタジオにウクライナ風のセットを組んで撮影したものだという。いまだにメディアの嘘を信じているウクライナの一般市民はともかく、ゼレンスキーの真の姿を知る政府高官や警察のトップたちが許すわけもなく、入国するなり逮捕されることは確実。最悪の場合は暗殺されることになる。

　2024年3月、ゼレンスキーはフランス有力紙のインタビューに対し、軍の弾薬不足に危機感を示すとともに軍事支援の継続を訴えたが、なんのことはない。軍備品の転売と援助金の横領で最後のひと稼ぎをしてから逃亡しようという算段をしているのだ。

　ウクライナに援助金などの名目で入ってくる金銭の多くは、まずウクライナの中央銀行に入り、そこから暗号資産取引大手のFTX（2022年11月に破綻）や、クリントン財団などに回される。そしてこれが、世界各国の政治家への賄賂や政界工作費として使われてきた。当初、各国の政治家がウクライナ支援に熱心だったのは、ウクライナに自国の税金から支援をすれば、一部がリベートとして自分に戻ってくると踏んでいたからだ。

こうした形で資金洗浄が行われ、ゼレンスキーは莫大な額を中抜きしてきた。かわいそうなのは支援を受けられなかったウクライナ国民たちであり、納めた税金が知らないうちに支援ではなく政治家の賄賂にされていた支援国の一般国民なのだ。

ウクライナ戦争は、欧州の18カ国以上で激化している農家のデモとも関連してくる。

2023年9月、ディープ・ステートの配下である投資会社のブラックロックが、ウクライナ政府と共同で経済復興を支援するとの報道があった。

だがブラックロックの支援の中身は、戦争によって荒廃したウクライナの農地を二束三文で買い叩くことだった。買い取った農地では、ブラックロックが株を管理するアメリカのディープ・ステート系大手企業が、人体に害のある農薬や遺伝子組み換え技術などを使って格安の穀物を大量生産する。それを欧州各国に売りさばく。

より高値で売るためには現地の農産物が邪魔になるから、ディープ・ステートの支配下にある各国の政府は、地球温暖化だのなんだのと理由をつけ、農業に規制をかけ、生産性を下げようとした。それが現在進行形の欧州農家の大規模デモに繋がった。

またディープ・ステート系の大企業がウクライナで自由勝手に耕作をするためには、土着の農民たちが邪魔になるので、これを徴兵の名目で戦地に送り込んだ。代わりの農夫は、イスラエルとハマスの戦争によって生まれる難民を入植させればいい――。

つまり、ウクライナ戦争もイスラエルでの騒乱も、欧州各国の農民デモも、すべてはディープ・ステートによる一連の計画のなかで生じたことだ。

だが、これら計画は失敗に終わろうとしている。ディープ・ステートが排除された時、ウクライナ戦争は完全な終結を迎えることになる。

様々な情報筋からの話を総合すると、戦後、ウクライナ領のドニエプル川から西側は、ドイツの一部になる公算が高い。そうして第一次世界大戦以前の国境線をもとにして、ドイツ帝国、ハプスブルク帝国、ハンガリー・オーストリア帝国が再誕する。ディープ・ステートの衰退とともに、かつての大国が復活するわけである。

米ディープ・ステート最高幹部、ビクトリア・ヌーランドの失脚

ゼレンスキーがウクライナ大統領候補だった時、彼は国民の世論に寄り添った政策を打ち出し、「私が大統領になれば、すぐにロシアと平和条約を結びます」と発言していた。当時、ウクライナ人の多くがそれを願っていたからだ。

だが、いざ大統領になるとその約束を反故にして、ロシアを挑発し始めた。

そんなゼレンスキーを実務面で支えてきたのが米政府のビクトリア・ヌーランドだった。

2013年、国務次官補だったヌーランドはオバマ大統領（当時）の命を受け、親露派のヴィクトル・ヤヌコーヴィチ大統領（当時）の退任を求めるデモを裏側から支援。翌2014年に「マイダン革命」を実現させると、それ以来ウクライナ政

ほどである。

権を陰に日向に支え続けてきた。〝実質的なウクライナ大統領〟と呼ぶ声もあった

2024年2月、ヌーランドはCSIS(米戦略国際問題研究所)におけるウクライナ戦争2周年スピーチで「素晴らしいことに、ウクライナの2023年の経済成長は5%でした」と、まるで実状にそぐわない話をすると、続けて「ロシアが弱体化しており、あとひと押しでウクライナの勝利となります。あと600億ドルあれば大丈夫！」と追加支援をアピールした。

妄想の世界に住んでいるのか、カネを巻き上げようとしたのか、その真意は定かではないが、第二次世界大戦中の日本軍による大本営発表のようなヌーランドの言葉を信じる者は、もはや誰もいなかった。

そして、その演説からひと月も経たない3月5日、ヌーランドが国務省ナンバー3にあたる政治担当次官を辞任することが、国務省から発表された。

理由は明かされていないが、ビル・クリントン政権から30年以上にわたって国務省で働き、イラク戦争の計画立案にも関与したヌーランドの突然の辞任は明らかに異常事態だ。ウクライナ戦争の責任を取らされ、なんらかの処断がなされた可能性

は十分にある。

いずれにせよ、マイダン革命から10年近くにわたり、ウクライナ政権を支えてきたヌーランドが不在となれば、近々ウクライナ戦線において終結に向けた重大な事態が起こることは間違いない。

すでに成立している「米露軍事同盟」

タッカー・カールソンのインタビューでプーチンが「ロシアのＮＡＴＯ加盟」について語ったことは、今後の世界の体制を示唆する重要なサインだった。

プーチンがパパ・ブッシュにＮＡＴＯへの参加希望を伝え、いったんは合意を得たものの、結局決裂したというのは先に述べた通り。

しかしロシアにとっての最大の懸念材料は、当時も今も、国境を接する中国との関係であり、ＮＡＴＯ入りは冗談でもなんでもない、本心からの願いであった。

ウクライナ戦争が始まってからはＢＲＩＣＳ同盟もあって、ロシアと中国は友好関係を保っているものの、中国は決して信用できる相手ではないというのがプーチンの本音だ。

人口でみてもロシアの約1億5000万人に対して、中国は約14億人と10倍近くの差があり、その点も将来的な脅威になりかねない。とくに中国との国境に接する地域には人口が1000万人程しかいないため、以前からロシアは中国の侵出に対してかなり警戒している。そんな中国よりは、同じ白人同士の西欧諸国のほうが信頼できるし、西欧と組むことになれば国防のうえでの心配事を減らすことができる。

そんなプーチンの考えが、トランプの目指す方向性と合致した。トランプとしては、アメリカを立て直すことが最優先であって、なるべく外国のことには戦力も費用もかけたくない。とはいえ現状のEUは戦力的にも経済的にも貧弱で、とてもロシアとは対抗できない。さらにロシアと西欧諸国が敵対しているうちに、中国がユーラシア大陸全域を掌握するような事態はなんとしても避けたい。中国に対抗するにはどうしてもロシアの力が必要になる。

中国の一人勝ちを抑え込むことで意見の一致したプーチンとトランプは水面下で軍事同盟を組むことに合意した。

つまりトランプがトップに立ったあと、アメリカは自国内の復興に集中し、欧州地域の安全保障はロシアに任せる形になるということ。トランプが「NATOを助けない」と発言したのも、裏でロシアとの同盟の話があったからだ。しかし、これはあくまでも一種の契約関係であり、ロシアが一方的にEUへ侵攻することは絶対にNG。もしそのようなことがあれば、その時アメリカはEU側に加担する。西欧側もロシアを脅かすことがない程度の戦力しか持たない。そのようにして軍事レベルを均衡させると聞いている。

また当面はロシアもアメリカも中国と戦う意思はないし、どちらも世界の覇権を目指すような状況にはない。同盟の目的はあくまでも中国に一人勝ちをさせないことであり、トランプが政権を取ったあとの世界は、多極化を目指すことになる。

ただし、プーチンはウクライナ侵攻の当初からナチスを退治すると言っており、西欧に巣くっているディープ・ステート勢力に対しては、徹底したパージが実行されることになるだろう。日本を含む西側諸国では、今まで「ウクライナ万歳」「ゼレンスキー万歳」の旗を揚げていた指導者たちの多くが排斥されることになるはずだ。

もちろん、今のウクライナでバンデリスタ（ソ連時代のウクライナ民族解放運動の指導者、ステパーン・バンデーラを信奉するネオナチ組織）と呼ばれ、持ち上げられている連中は、真っ先に処分されることになる。

アラブ諸国とイスラエルの〝和平〟を望むトランプ

イスラエルとハマスの戦闘に際し、ワシントンD.C.にいる現体制側の連中はイスラエル援助のことばかり口にするが、一般の米国民にとってイスラエルはどうでもいい。それどころか若い人たちは現体制への反発もあって、逆にパレスチナを応援するデモまで起こしている。

そして、反イスラエルデモに参加する人々は、現体制へのアンチテーゼとしてトランプを支持する。

トランプはエルサレムに米大使館を移したことから、現体制以上のイスラエルシンパではないかとの見方もある。だが序章で述べたように、トランプはかねてから現政権のネタニヤフ首相に対しては「和平の意思がまったくない」との批判を繰り返している。現在のイスラエル国内は純粋なユダヤ教徒とシオニズム活動家で分裂しており、トランプが支持しているのはその純粋なユダヤ教徒のほうだ。

トランプは大統領だった2020年に、イスラエルとUAEなど周辺国との間で「アブラハム合意」と呼ばれる平和条約を結ばせて、さらにパレスチナ人には一般のイスラエル市民としての人権を与えようとした。これはユダヤを絶対的な単一民族と考えて、他民族のパレスチナ人をイスラエルから排斥したシオニズム活動家のやり方とは正反対のものである。

2024年2月には、本来シオニズム活動家側であるはずのバイデンまでもが、ネタニヤフとの電話会談でガザ地区への攻撃作戦にストップをかけた。こうなるとイスラエルの現政権も長くは持たない。

バイデンにしてみれば、現イスラエル政権は、飼い犬が隣家の犬に噛みついてケガをさせたようなものである。もともとは甘やかして育ててきた飼い主（＝アメリカ）が悪いのだが、ご近所さんから飼い主へ批判が向かわないよう、飼い犬をなだめたり叱ったりしているような状況なのだ。

ディープ・ステートとしては、イスラエルを発端に戦火を拡大し、中東戦争、第三次世界大戦にまで発展させようという目論みだったが、イスラエルへの支持も反発もまったく盛り上がらない。そうなると次に打つ手はなく、完全に手詰まり状態になっている。結局、これまでのディープ・ステートの八百長的な手法はすっかり見透かされ、通じなくなってしまったということだ。

本来のシナリオは9・11の時のように「ハマスが最初にテロを仕掛けたのだから、みんなでイスラエルを応援しよう」となるはずだった。それが今では「それはお前たちの自作自演だろう」というふうに変わってしまった。

イスラエル国民の85%が〝反ネタニヤフ〟

トランプが大統領になった時、まだネタニヤフがイスラエル首相のままだった場合、イスラエルを応援するどころか、逆にトランプはイスラエルへ制裁を下すこともあり得る。ただしネタニヤフの命運はもはや風前の灯火で、おそらく2人が並び立つことはない。

2024年1月には南アフリカ共和国が、集団殺害の疑いでイスラエルを国際司法裁判所に提訴し、その審理が始まっている。イスラエルは、大量虐殺を人道に対する罪とする国際法ジェノサイド条約に調印しているので、こうなるとネタニヤフの立場はますます悪くなる。それでもネタニヤフが無理に居座り続けた時には、戦犯国として国際的な経済取引もできなくなり、国家の存続すら危うくなるだろう。

現在のイスラエル社会は完全に分裂し、イスラエル国民の85%が「ネタニヤフは辞めるべきだ」とする世論調査も出ている。

中東地域の政治家たちの多くは「サイクスピコは終わった」と話す。サイクスピコとは第一次世界大戦中の1916年5月、イギリス・ロシア・フランスの間で結ばれた旧オスマン帝国領の分割に関する秘密協定だ。つまり「サイクスピコは終わった」とは「欧州に決められた国境は、もういらない」ということ。第一次世界大戦後、フランスとイギリスは勝手に中東を切り刻み、自分たちで分割統治を行うためにいくつもの国を立ち上げた。そのせいで中東地域で民族紛争が絶えないのだから、そんな区分けがなくなれば平和が期待できる――。そう考える人間が急激に増えているのだ。

このまま人々の意識が変化していけば、いずれイスラエルはトルコ帝国に取り込まれて「ユダヤ自治区」のような扱いになると私はみている。イスラエルだけでなく、ヨルダンやイラク、シリア、レバノンなども、すべて個別の国家ではなくなるはずだ。

歴史的な観点から見た時、中東はアラブ民族とトルコ民族、ペルシャ民族の３つに分けられる。アラビア語を話すアラブ民族はエジプトやサウジアラビアなど。トルコ民族は現在のトルコと、イスラエルなどを含む周辺の国々。ペルシャ民族はイランとその周辺地域といった形だ。今後はその区分けに戻って、それぞれがゆるやかな連邦のような形を取ることになるのではないか。

また、ネタニヤフの暴走に嫌気がさしたユダヤ系アメリカ人の間でもイスラエル離れが始まっており、政治的ユダヤロビーの活動も減少しつつあるという。

大統領だった時に、ユダヤロビーからの圧力を散々受けてきたトランプからすると、こうした中東情勢の変化は望ましいものといえる。

私はよくイスラエルのユダヤ人のことを「ネコみたいな民族」と言う。ユダヤ人はもともと、一つの群れとして動くことが苦手な面があるからだ。アメリカのユダヤ系圧力団体というと、文藝春秋の雑誌『マルコポーロ』が「ホロコーストはなかった」とする記事を掲載したことに抗議して廃刊に追い込んだ、「サイモン・ウィーゼンタール・センター」を思い出す人も多いだろう。そうした事例からしても、ユダヤ人というと「団結して攻撃してくる」という印象を持つ人は世界にも多い。

だがイスラエルのユダヤ人は、西欧やロシアなど、様々な国からやってきた寄せ集めの集団だ。建国当初は外部からの弾圧もあって団結しなければならない状況にあったが、今は違う。とくに純粋なユダヤ教徒たちは、現政権のシオニズム活動家たちを嫌悪しており、「ネタニヤフのような悪いヤツらと同じユダヤ人と思われたくない」といった声が高まっている。日本でいうと「オウム真理教が重罪を犯したからといって仏教徒全員が責められるのは勘弁してくれ」というような状況を想像するとわかりやすいだろう。

現政権下のイスラエルは完全に周辺国から孤立している。経済面を見ても2023年10～12月期のＧＤＰは前年比で20％近くも下落し、今後さらに下降が進むと見られる。また、連日、反政権の大型デモが行われている社会状況からしても、その先行きは厳しい。

米露同盟の成立とロシアと西欧の協調体制

トランプの「NATOは守らない」という発言はメディアでこそ批判されているが、一般の米国民の多くがこれに共感している。「今のアメリカは、自分たちの国のこともきちんとできていないのに、なんでNATOの面倒を見なければならないのか」「国全体が潤っていた時代なら他国のために予算を使うことも見過ごせたが、今はそれよりも国民にお金を還元すべきだろう」と考え、本当にNATOがなくなったとしても大半の米国民は、おそらくなんとも思わない。

これは一般国民にかぎったことではない。記者から「現在、気がかりな問題を3つ挙げてください」と問われた米空軍のトップは「チャイナ&チャイナ&チャイナ」と答えた。ロシアのことはさほど脅威と思っておらず、とにかく中国が問題だというのだ。軍の高官さえもそのような考えならば、対ロシアを名目としたNA

TOはもはや無用の長物と考えていても当然なのだ。

だが、欧州側からすると、米軍を引き込む道具としてNATOは重要な意味を持っている。何か事が起きればアメリカに戦ってもらおう、というのが西欧諸国の本音であり、ドイツ軍もフランス軍も、今すぐロシアとの戦いが始まった場合、火薬は数週間、弾薬は2日分しか持たないともされている。武器弾薬をウクライナへ送りすぎたせいで、自国防衛すらままならない状況にあるのだ。

そもそも大西洋を挟んだアメリカをNATOに入れたのは、ロシアとの戦争を起こしたいディープ・ステートの事情が理由だった。だから米国民からしてみれば、もともと自分たちの本土防衛や安全とは関わりのない話としか考えていない。よってトランプとプーチンが画策する米露同盟は、米国民からの反対もなく、案外とスムーズに受け入れられるだろう。

米露同盟が正式に成立すれば、おそらくロシアはNATOやEUに加わるのではなく、欧州評議会に参加する形を取るだろう。欧州評議会とは第二次世界大戦後に、民主主義や法の支配、人権の促進など、欧州共通の問題を議論するために結成された、すべての欧州諸国の話し合いの場にしようという趣旨の組織である。ロシアは2022年3月に脱退するまで、この欧州評議会のメンバーだったので、これに復帰することに大きな問題はない。

気がかりなのは、欧州各国の市民たちの反応だ。ロシアとは地続きで、その脅威を身近に感じてきた国々にとって、ロシアに対するアレルギーは相当なものがある。しかもディープ・ステートの意を受けた政府やメディアのプロパガンダもあって、欧州の人々はロシア＝悪の考えが刷り込まれている。

もしも今、ロシアと欧州が戦争状態になった場合、ロシアは1カ月も経たないうちにスペインまでを一気に制圧してしまうというシンクタンクの予測もあるが、欧州各国における反ロシアの市民感情は、ロシア側にとって各国軍隊以上の難敵となる。軍対軍では勝つことができても、その後の統治は困難を極めるはずだ。

またイギリスの存在もやっかいで、ロシアにとってドーバー海峡が難関となる。ロシア海軍の主力は潜水艦であり、揚陸作戦はあまり得意分野ではない。一方のイギリスは島国ということもあって伝統的に海戦に強い。しかし海戦で勝ったとしても、現在のイギリスにロシア本土を制圧するほどの軍事力はないので、仮にロシアとイギリスが戦ったとしても両者にらみ合いの均衡状態にならざるを得ない。ロシア帝国と大英帝国の時代から欧州の覇権をめぐる争いを続けてきた両国だが、どちらか一方が決定的な勝利を収めることがなかったのは、こういった事情があったからだ。

さらに歴史をさかのぼれば、両国の王族は親戚同士であり、第一次世界大戦の段階でもロシアとイギリス、そしてドイツの王様はいとこ同士だった。それもあってのことだろう、過去、英露間でたびたび戦争を起こしながら、条約こそないものの、平時においては「イギリス以外の西欧全体の安全保障はロシアに任せる」というようなふわっとした、両国間の〝了解事項〟があったとされる。

第一次世界大戦当時のイギリスは、欧州よりも、オーストラリアやインド、アフリカ諸国など、現在もコモンウェルスとしてまとまっている広範な地域に目が向いていた。その時のロシアの存在は、ドイツやフランスなどの勝手な行動を許さない、一種のお目付け役となっていたようだ。

これらのことからもロシアと西欧が協調体制をつくることは、簡単ではないが、決して不可能ということでもない。実際、第一次世界大戦と第二次世界大戦で、ロシアはイギリス・フランス・アメリカの同盟国だった。欧州各国で農家の大規模デモが起こるなど、ディープ・ステートの衰退が顕著になった今なら、案外スムーズに話が進む可能性は高い。

世界各国が望むインドとの友好関係

もともとBRICSというのは、「2000年代に入って著しい経済発展を遂げたブラジル、ロシア、インド、中国、南アフリカ共和国の5カ国」を総称する経済用語として使われ始めた言葉で（当初は「BRICs」）、これらの国は当初から同盟を組んでいたわけではない。

これが2009年から首脳会議を開催するようになり、2024年1月からは先の5カ国にエジプト、エチオピア、イラン、サウジアラビア、UAE（アラブ首長国連邦）が加盟して、以後は定期的に首脳会議を開いていくことになった（当初はアルゼンチンも参加表明していたが、のちに辞退）。

現状だと、表面的には「新興国による親睦会」といった程度にも見える。だが2

023年には参加国内で共通のBRICS通貨を発行して、米ドルに頼らない経済共同体をつくる提案がなされるなど、現在の世界経済体制を根本から変える可能性を秘めている。ただ、今回はインドが反対して実現はしなかった。

西側の報道ばかりを見ているとわからないだろうが、人口や経済規模などはすでにBRICSがG7を大きく上回っており、BRICSはG7に代わる世界の覇者といっても過言ではない。

ただし、決してBRICSが一枚岩というわけでもない。

中国と国境問題を抱えるロシアが、中国の独走を許したくないというのは先に述べたとおり。中国を独走させたくないのはインドも同じで、BRICSとG7を天秤にかけながら、独自のポジションを築こうとしている。

実際、現在のインドは世界中のどの国もタッグを組みたいと考える、将来の発展を最も期待される国である。人口では中国を抜き、少子高齢化が進む中国に比べて年齢層も低い。教育もハイレベルで行き届いており、人材面においても、生産工場としても、マーケットとしても有望な国であることは間違いない。

アメリカ、ロシア、中国のどこと組んでも世界の覇権を握ることができそうだが、そうしないのはインド首相のナレンドラ・モディの思想によるところが大きい。もともと極右団体の活動家でヒンドゥー至上主義者のモディは、他国の下につくことなどいっさい考えていない。

2023年9月のG20サミットで議長国を務めた際には、唐突に自国名の表記を国際的な「インディア」ではなく、ヒンドゥー式の「バーラト（BHARAT）」に変更して、他国を戸惑わせる一幕もあった。これは日本が国際会議において「JAPAN」ではなく「NIPPON」に変更するようなもので、モディがバーラトとしたことは「インドは他国の言いなりにならない」という決意の表れだ。現在も超巨大なヒンドゥー様式の寺院を建てる計画を進めていることから、右翼のモディはイスラムにもキリストにも従うつもりはない。あくまでもインドはインドとして独立独歩で突き進もうとしているのだ。

それでもインドを味方に引き入れたいアメリカは、バイデン政権の副首相にインド系のカマラ・ハリスを起用した。イギリスはさらにその上を行って、インド系でヒンドゥー教徒のリシ・スナクを首相に据えている。前任のイギリス首相リズ・トラスが突然辞任したことを受けて行われた2022年10月の保守党党首選挙で立候補したのはスナク1人。無投票で首相となったのは、インドに対する強烈な〝求愛〟のメッセージだ。

大英帝国時代のイギリスは、インドを完全な支配下に置くため、インド人がイギリス本国の政治に関われないような体制をつくっていたが、現在はインド人が首相になってイギリスを治めることも歓迎するという姿勢を見せたわけである。

ただし、今のところ、インドからの反応は芳しくない。インドには現在も、植民地支配をしてきたイギリスを恨む声が少なくないからだ。

しかし、長い歴史でみれば、イギリスの前のムガール帝国の支配のほうがよほどひどかった。ムガール帝国はすべてのヒンドゥー寺院を打ち壊し、宗教を捨てさせた。その点でイギリスは、ヒンドゥー教に寛容だったし、同時期のフランスなどの植民地支配と比べれば、ある程度の自治権を認めるなど、当時の基準としては緩やかな統治を行っていた。だからムガール帝国を由来とするペルシャ系やモンゴル系の周辺国と協調するよりは、イギリスと組んだほうがよほどマシだと考える国民もいる。

また1947年のインド独立以降もエリートたちは、イギリスの学校へ進学するなどの交流があり、現在では多くのインド人がイギリス国籍を取得、定住している。植民地支配の時代のイギリスは、インド国民を大量に餓死させ、インドの富を奪い続けてきたのも事実だが、それを乗り越えて友好関係を結ぶことは十分にあり得る。

なおトランプとモディの関係は、トランプが2020年の大統領時代にインドを訪問した際、モディは10万人のインド国民を集めて歓迎の意を示したように、両者の関係性は悪くない。

トランプがアメリカ・ファーストならば、モディはインド・ファーストなのだ。トランプが大統領になれば、両国の利益を尊重した関係性を築くことになるだろう。

〝黒幕〟が導く習近平・中国の未来

習近平のことを「絶対的な権力者」として扱う報道は多い。しかし習近平は、中国が団結していることを示すための顔役にすぎない。実際に中国を支配しているのは古来の王族で、習近平はいわば〝ミスター中国〟というのが正しい。中国では背の低い政治家は人民からの印象が悪いが、背の高い習近平は、各国首脳との集合写真でも見栄えがいい。それでトップに選ばれているところもある。

共産党独裁とされる中国だが、実は一枚岩ではなく、政権の背後にいる王族たちが互いに権力闘争を繰り返してきた歴史がある。大きくは過激派と穏健派に分かれており、過激派は「もう欧米による世界支配が300年以上も続いたのだから、これからは中国が世界を支配する」という思想のグループ。穏健派は「これからの中国は、欧米一極集中ではない多極世界の中の一つの大きな極になろう」という思想のグループだ。

共産党政権の背後にいる王族で有名なところだと、蒋介石の妻で宋の時代の王族の血筋を引く宋美齢がいる（2003年死去）。日本のソフトバンクグループ会長の孫正義も宋一族の人間で、孫が中国に多額の投資をしてきたのも、宋一族との関係があったからだと情報筋からは聞いている。

他にも唐の時代から続く李一族や、明の時代から続く王族などもいて、現在も彼らが中国の実質的な権力を握っている。そして、これら王族の代弁者として、習近平は表舞台に立っているという構図だ。

中国が共産主義を採用しているのも、王族たちがそれを選んだ結果だ。これまで中国は、自由主義経済を取り入れるなど時流や国内状況に合わせながら、柔軟に対応してきたが、ついにそれも行き詰まってしまった。ここにきての中国不動産バブルの崩壊は、中央政府の掲げるGDP成長目標を達成するために、各地域の自治体がそれぞれ暴走してしまった結果だ。

中国は戦後日本を真似た土地本位制の不動産取引をベースにして急激な近代化を遂げたが、バブル崩壊に関しては、日本よりもひどい状況だという。日本のバブル絶頂期はサラリーマンの年収30年分でやっと一等地の一軒家が買えた。これが現在の中国では44年分の年収が必要になる。飲まず食わず、電気代も払わずに給与のすべてを44年間ずっと支払って、それでやっと家が買えるというのは、つまり一般の中国人民は家が買えないということと同意である。

しかも、共産主義社会でありながら格差は広がり続け、富裕層が資産として不動産を独占した。あくまでも投機目的であり、賃貸に回すと価値が下がるため、富裕層は不動産が売れなくても塩漬けにする。そうして一般の中国人民はマンションを買えず、富裕層は空のマンションを余らせているという異様な状態となってしまった。現在、中国の空きマンションの部屋数は人口の2倍以上の30億人分にもなるという試算もある。恒大集団をはじめとする不動産投機大手の破綻が相次ぎ、その影響から2023年末の段階で、中国の個人資産は年間34％の暴落を記録した。

そうして中国経済が停滞するなかで、一時は習近平の徹底した取り締まりで減少した軍部や官僚の汚職が再び増えはじめた。人民解放軍でも一番のエリート集団とされるロケット軍では、ロケット燃料の横流しが発覚して9名もの高官が追放された。「どうせ核戦争なんて起こらないのだから」と、ロケット燃料を高値で横流しして、代わりに軍のロケットタンクには水を積んでいたという。余ったロケット燃料で、バーベキューをしていたという話もある。これほど軍のモラルは低下しているのだ。

汚職や失政の責任からとてつもない数の官僚が粛清され、ある地方の党大会では、終了後にホテルへ戻った出席者全員が殺されたという話も耳にする。

ただし、中国の場合、専制国家の体制を取っているため、アメリカや日本などと比べて強権発動はしやすい。そこで中国は、近々にも徳政令を発布するだろうと中国の秘密結社筋は伝える。富裕層が所有する空きマンションをすべて没収し、それを若い世帯に無料で配布するというのがこの徳政令の一例で、住環境が安定すれば子づくり・子育てが促進され、少子化対策にもなるという一石二鳥を狙っている。

中国の場合はアメリカと違い、ものづくりの基盤はあるので、不動産や借金の問題を解消できれば経済が回復する可能性は高く、そこが救いではある。

すでに決まっている「中国と台湾の統一」

アメリカも中国も国内経済がボロボロの状況のなか、すぐに米中激突ということはない。ただし米中戦争のシミュレーションは緻密に行われている。アメリカの軍産複合体のためのシンクタンクであるランド研究所は、米中戦争に関する報告を出しており、そこでは米中戦争の理想形として「全面対決ではなく、互いが数発のミサイル撃ち合う程度の一部地域に限定した戦争」を提案している。何棟かのビルが破壊される程度の戦闘であれば、それを建て直したり、新たなミサイルを売買したりすることで経済の活性化に繋がるというのだ。

また、ランド研究所は複数のレポートを提出しており、その一つでは「大国ではない中程度の国との戦争」を推奨していた。アメリカが絶対に勝てる相手でなければいけないが、あまり小さな国だとすぐに戦争が終わってしまって意味がない。だから圧勝ではなく、それなりに武器を消費して、米経済を活性化させるのにちょうどいい相手と戦争することが望ましいという。その場合、敵国として例示されたのはブラジルと日本だった。

日本のマスコミは対中国の戦争を報じる際、相変わらず「台湾有事」と騒がしいが、青幇《チンパン》・紅幇《ホンパン》などの秘密結社筋からは「台湾侵攻は行われず、平和裏に中国と台湾が統一されることはすでに決まっている」と聞いている。台湾人といっても、もともとは中国から移った者たちであり、中国本土には親戚縁者もいる。それがわざわざ争って、殺し合う必要はないというわけである。

中国人は非常に現実的なので、他国との争いにおいても損得勘定が先に立つ。侵略して得るものと、戦闘による損失を天秤にかけるのだ。だから中国にしてみれば、「戦わずに勝つこと」が理想となる。直接武力で戦うのではなく、たとえばたくさんの中国人女性を敵対国に送り込み、政治家や軍の幹部らと結婚させて、その子供が将来的に敵対国を支配することを目指す。中国人はそういう長大な時間をかけた計画を普通に行う民族だ。実際問題、日本でも自衛隊のエリート育成を目的とする防衛大学校の生徒が、そうとは知らずに中国人女性と結婚してしまう事例もある。

あるいは敵対国に大量の中国人移民を送り込み、社会を内部から乗っ取るやり方も中国は好む。戦わずに手に入るのなら戦う必要はないというのが、中国人の基本発想なのだ。

現在アメリカでは、中国人妻と不法移民の両面で中国からの「攻撃」を受けている。

不法移民についてはここまで何度も述べてきたとおり、メキシコとの国境を越えてひっきりなしに流入している。

中国人妻について述べれば、ミッチー・マッコーネルという米共和党の大物上院議員の妻イレーン・チャオは、パパ・ブッシュの時代から労働長官などの高官ポストを歴任してきた。彼女は中国本土ではなく台湾の生まれだが、父親は国共内戦中の1949年に台湾へ移住しており、ほぼ中国人と言っていい。

イレーン・チャオの実妹アンジェラ・チャオは、超富裕層のアメリカ人男性と結婚し、その相手が結婚からわずか数カ月で亡くなったことで莫大な財産を手に入れた。さらにアンジェラは、父親から引き継いだ船舶会社のCEOを務めるとともに、中国中央銀行で高位の役職にも就いていたとされる。そんなアンジェラが2024年2月、乗っていたテスラの自動車が池に沈んで死亡した。また同時期にはアンジェラの会社が所有する船舶から1トンのコカインが見つかった。そんなアンジェラの死には、確実に深い闇があるだろうが、とにかく、多数の中華系女性が米政財界に入り込んでいるのは事実なのだ。

地球温暖化の嘘とディープ・ステートの食糧支配

ここにきて電気自動車の神話が崩れ始めている。「地球環境にやさしい」という触れ込みで、EUでは「2035年までにすべてを電気モーター自動車にして、エンジン車を撤廃する」としていた。ところが2023年3月には、エンジン車の販売を延長可能とする方針に転換した。電気自動車の普及から数年が経過して、その不具合が徐々に露見し始めたせいである。

充電に時間がかかり、走行距離がメーカー発表より極端に短いこともざらにある。北欧の寒い地域になるとバッテリーがすぐに上がってしまってまともに走ることもできない。電気自動車導入によって欧州市場から日本のエンジン車を追い出そうとしたが、今度は中国製の50万円程度の安価な電気自動車が入ってきて、欧州の自動車メーカーはこれに対抗することもできない。

電気自動車の維持費は高く、なかにはたった7万キロ走っただけで、バッテリーの交換が必要になるケースもある。そして、バッテリーが上がったら全部交換。400万円で購入した車を維持するために毎年300万円かかることもあるという。

電気自動車を走らせる電気をつくるために火力発電をしているのだから本末転倒も甚だしい。太陽光で発電した場合も、発電用パネルには鉛やカドミウムなどの有害物質が使われており、壊れて廃棄すれば土壌汚染に繋がりかねない。

そもそもの話でいうと、地球温暖化が危険だという話自体が嘘なのだ。二酸化炭素は温暖化を起こさない。地球の生き物はみんな二酸化炭素でできているのだから、それを削減することは生命を減らすことであり、二酸化炭素削減という政策目標が根本的に間違っている。

そんな二酸化炭素削減政策を農家に押しつけたことも、現在欧州で起こっている各国政府に対する農家の大暴動の一因だ。もしも本当に二酸化炭素削減を農家がやろうとすれば、インフラからすべてを見直しても無理であり、廃業へ追い込まれることは必至だ。

そして、この農家潰しがディープ・ステートによる世界支配作戦の一環だということも明らかになった。「成長の限界」を報告したことで有名な民間シンクタンク、ローマクラブの元会長の内部告発によると、ディープ・ステートは2025年までに食糧危機を起こす計画を立てており、そのために農家を潰さなければならないと考えているという。

一般の農家を潰した時に利益を享受するのがブラックロックやヴァンガードなどの投資会社が所有する巨大農園であり、昆虫食工場だ。ディープ・ステートは、これらの人工的につくった食糧を餌にして世界中の人類を管理するつもりでいる。

彼らの支配する社会では、世界のすべての人間がデジタルＩＤで管理され、真偽不明の陰謀論のサイトばかりを見ているような人間は、食品店に行ってもパンどころか虫さえも与えられないことになる。

中国では新型コロナワクチンに関連して、すでに一般市民たちのデジタル管理が行われており、ディープ・ステートはそれと同じような管理を世界中で実行しようとしているのだ。

SDGsの目的は「一般市民の弾圧」と「社会の混乱」

トランプはかねてより地球温暖化に懐疑的で、2019年には二酸化炭素排出に関するパリ協定からの離脱も表明した。次に大統領となってもやはり同じ方針を取るだろう。

反トランプの旧来メディアはトランプの方針を批判するだろうが、米国民の多くはむしろ賛成するはずだ。現在、米国民の70％が陰謀論者とされており、これはメディアの情報を信じなくなったということを意味する。メディアが批判すれば、逆にその意見に賛同が集まるような状況になっているのだ。

ＳＤＧｓについても、これをまじめに受け取っているのは世界中で日本人ぐらいのものだ。日本人は一度世界で決まったことは、ずっと守り続けなければいけないと思い込む性質がある。また日本企業も、どんな事業もＳＤＧｓに紐づけておけば会社のイメージがアップするだろうと、これを利用している部分もあるだろう。トランプは反電気自動車のスタンスで、これは同じ米軍良心派の支援を受けるイーロン・マスクのテスラにとって不利になる話だ。しかしマスクとしては、たまたま米軍から技術提供を受けたのが電気自動車だっただけで、いつまでもそれにこだわるつもりはないとされる。

ＳＤＧｓに関しては、環境以外にも問題が多い。２０２４年3月、ボーイング社の内部告発をした元従業員が遺体で発見された。拳銃自殺と発表されているが、遺体発見の当日は尋問のため裁判所に出廷する予定だったというから、おそらく暗殺されたのだろう。

ボーイング社はもともと１００人ほどの優秀な技術者がつくり上げた会社だった。それが近年では「白人男性ばかりではダメだから、女性や黒人の技術者も入れなければならない」という方針に転換した。そのため能力主義にこだわらず、様々な属性の人を優先して入社させたのだが、たちまち航空機などの品質は下落し、安全性への配慮も低下した。

それと同時に、利益率のことばかりが優先されるようになり、いったん飛び立った飛行機が「9つあるトイレのうち8つが使えない」という理由で引き返すはめになったという、実にくだらない低レベルな事件も起きた。

内部告発後に亡くなったボーイング社の男性従業員は生前、「航空機の完成を急ぐあまり作業員が手抜きを迫られ、基準を満たしていない部品を航空機に取り付けることで安全性が損なわれた」などと話していた。まさしく男女や人種を一定の割合で採用することを強制的に義務づけられた結果、能力主義が放棄されてしまったことの弊害だ。ボーイング社の例にかぎらず、近年アメリカでは、個々人の能力を軽視して「黒人だから採用する」「女性だから採用する」という採用基準が当たり前のように取り入れられている。

ディープ・ステートがなぜSDGsを推奨するのかといえば、一つは一般市民の弾圧。

そしてもう一つは社会の混乱。過度なコンプライアンスやポリティカル・コレクトネス（ポリコレ）を一般大衆にまで押しつけることで地域特有の伝統や常識を破壊し、カオスをつくり出す。カオスになればなるほど独裁的な統治がやりやすくなるからだ。

黄色人種の日本人がよく勘違いしているのが、ディープ・ステートの連中にしてみれば、自分たち以外は白人も差別の対象だということだ。当然、黒人や黄色人種は、同じ人間とすら思っていない。自分たちのために生きる奴隷や家畜としか考えていないのだ。

これに対してトランプは、以前から人種や性差によって優遇措置のあることに否定的だった。ハーバード大学がアファーマティブ・アクション（差別是正措置）に基づいて人種的マイノリティーの入学を後押しした結果、黒人やヒスパニックや白人が、アジア系の学生よりも優遇されているとして、アジア人学生が大学を提訴した2019年の裁判があった。この時トランプは、原告となったアジア系学生の支持を表明している。

トランプの根本的な思想は決して差別主義ではなく、あくまでも法に基づいた正当な能力主義なのだが、度を超えたポリコレに染まり切った現在のアメリカでは、それが通らない。黒人差別撤廃がいきすぎて、今では黒人優遇とさえ言えそうな状況になった。これに辟易している白人の底辺層からすると、トランプはまさしく救世主に見えるのだ。

「朝鮮半島統一」はロシアと北朝鮮が主導

2019年に現職の米大統領として初めて北朝鮮入りを果たしたトランプだが、次に大統領となった場合も北朝鮮との直接交渉に臨むのかといえば、これは難しい。主に金正恩側の理由によるもので、板門店の国境線でトランプと金正恩が会談をもった際、金正恩は電磁波攻撃を受けたという。その後、2020年初頭には「金正恩死亡説」が流れたほど長期にわたって公の場から姿を消していたが、これは電磁波攻撃の後遺症によるものだった。

電磁波攻撃がトランプも承知の下に実行されたのか、それとも米軍単独による攻撃だったのかは不明だが、とにかく金正恩がそれ以来アメリカに不信感を持っていることは確かだ。

では米朝関係はどうなるかというと、トランプは、おそらくロシアに任せる形になる。北朝鮮はロシアの監視下に置かれることになるが、それと引き換えにロシアのバックアップを受けた北朝鮮が主導する形で、南北朝鮮統一が実現するものとみている。現在、北朝鮮とロシアの関係は良好で、金正恩はロシアを訪れた際（2023年9月）、プーチンに新しい車をもらい、軍事同盟の約束もしている。プーチンは2024年3月のロシア大統領選に勝利した直後に「近々の訪朝」を口にしており、そこで半島統一に向けての話し合いが行われる可能性もある。

北朝鮮の体制に対しては、現在も世界からの非難が続くが、この国の大きな強みは少子高齢化になっていないことだ。一方で韓国は2023年の合計特殊出生率が0・72と世界最低を記録。出生率が1・0を下回るのはOECD加盟国のなかで唯一韓国のみである。日本の出生率1・20も相当低い水準だが、それを大幅に下回っており、リアルに国家消滅もあり得る事態だ。

国家としての〝のびしろ〟を考えれば、北朝鮮主導での南北統一になるほうが自然で、新たに統一国家の象徴を立てる時も、韓国の既存の政治家を引っ張り上げるよりは、戦後80年近く続いている金家のほうがふさわしい。

日本のテレビから流れる金正恩に対する否定的な報道ばかり見ている日本人の感覚からすると、金正恩が率いる南北統一国家などはとても信じがたいことだろうが、トランプにしてみれば、核恫喝を続ける北朝鮮がおとなしくなりさえすれば、他はどうなったって構わないのだ。

加えて、アメリカを後ろ盾にする韓国の主導で朝鮮半島を統一するとなると中国が黙っていない。しかし、ロシアと北朝鮮の主導による統一となれば中国も文句はつけにくい。

韓国国民からの反発はあるだろうが、そこは「北朝鮮アゲ」のプロパガンダによってどうにかするしかない。戦後の日本でも、それまで鬼畜米英を唱え、「アメリカの捕虜になるなら崖から飛び降り自殺したほうがいい」とされていたものが、アメリカのプロパガンダで、あっという間に「ギブミーチョコレート」に変わった。新型コロナワクチンでも、世界各国の大多数の人間が「打つのは国民の義務」という意識を持ったように、洗脳とは、想像よりずっと簡単にできてしまうものだ。

バイデン政権は北朝鮮との直接的な接触をしてこなかったが、これは米民主党の裏の勢力との兼ね合いによるもので、現在の韓国の体制はディープ・ステートの息のかかった人間たちによって構成されている。韓国の現体制はロスチャイルドやロックフェラーの子分のようなもので、当然、子分を優遇する米民主党は、北朝鮮を無視し続けているのだ。さらに北朝鮮はロシアの影響下にあり、ディープ・ステートといえどコントロールはできない。そのため、触れることすらできないでいる。だが、ロシアと裏で同盟を結ぶトランプであれば、問題なく南北統一へと向かうはずだ。

朝鮮半島が統一されると、次に日本と朝鮮半島を繋ぐトンネルが開通する。それによって東京から朝鮮半島、ロシアを経由して、最終的にはロンドンまで電車で繋がる。日本—ロンドン間が貨物列車で繋がれば、船舶輸送に代わる輸送手段が確立される。そうなると、輸送コストが劇的に下がったうえで、ロシアから日本への化石燃料の輸出量が激増し、これまで燃料資源を中東に頼る部分の大きかった日本は大きな利益を得られることになる。

世界的な資源大国が生まれるアフリカ

世界の産業は、今後しばらくインドを中心に動くことは間違いない。そして、このインドの次に世界から発展を期待されているのが、アフリカだ。

アフリカは現在、「アフリカユニオン」という形で一つの国になろうとしており、アフリカ各国の首脳が集まる会談もたびたび開かれている。

アフリカの地図をみれば一目瞭然だが、各国の国境線の多くは直線になっている。欧州による植民地支配のために引かれた人工的な国境であり、それを大陸の地図から消そうというのは極めて自然な発想だ。現在の国家を解消して、歴史や文化の共通する民族ごとにコミュニティを形成する。そしてそのコミュニティ同士が緩やかに連携して、アフリカ全体が一つの国になる。

2022年7月、カナダを訪問したローマ教皇フランシスコは、かつて先住民族の子供たちが同化政策の名の下に迫害されてきたことに、カトリック教会が関与していたとして謝罪した。

16世紀、メキシコへ上陸したスペインの軍人は、アステカなど原住民の代理人が面会に訪れると、聖書を取り出して「これに従え」といって恫喝し、従わなければ皆殺しにした。

当時、西欧各国の侵略者たちは「他の民族を殺し、資源を強奪してもいい」という屁理屈をキリスト教の聖書のなかに無理やり見出して、それを名目に世界中を略奪して回った。そして、その蛮行を当時のローマ教皇は容認した。以来、略奪や植民地支配は正当化されてきたが、ローマ教皇が、そのような西欧各国の植民地政策は間違いだったと認めたわけである。これは歴史的にみても大きな転換点であり、今後の世界の枠組みに大きな影響を与えるだろう。

とくにアフリカにとっては大きな恩恵をもたらされることになりそうだ。アフリカに対して「貧しい地域」という印象を持つ人は多いだろう。実際、貧しい生活をしている人の割合はかなり高い。だが金（ゴールド）やダイヤモンドなど地下資源の埋蔵量を考えれば、決して、貧しい地域とはいえない。現在のアフリカからは年間でおよそ1000億ドル分の資源が採掘されているのだ。

だが、その資源のほとんどは、まともな代金を支払われることなく他国に奪われてきた。つまりアフリカの国々は、一応は独立の形は取っているものの、21世紀に入ってからも、なお実質的には植民地状態なのである。無法な略奪がなければ、本来のアフリカはサウジアラビアなど中東の産油国のように、資源大国として大金持ちの国になっていたはずだ。

そんなアフリカが植民地状態を脱して、この先きちんと資源の対価を受け取ることができるようになれば、世界でもトップクラスの豊かな国になるだろうし、逆にこれまでアフリカから不当な搾取をしてきた国は、厳しい状態に陥るだろう。

まずアフリカで真の独立へ向けて第一歩を踏み出したのがマリ共和国で、かつての宗主国だったフランスの追い出しに成功した。マリは1960年にフランスから独立したものの、内乱が繰り返されていた。そもそもその内乱はフランスが裏で画策して起こしているものだったが、フランス軍は治安維持の名目でマリ国内に駐留を続けた。そしてマリ国民たちが戦乱に翻弄されるのをよそ目に、フランスは金の採掘を続けた。

そんななか、接近してきたのがロシア政府の要請を受けた傭兵会社だった。20

22年頃からマリの暫定政府を支援する形で入国すると、イスラム系武装組織などを鎮圧。この働きによって国内の警備も任されることになると、役目を失ったフランス軍は追い出され、それと同時に資源の持ち出しもできなくなった。

ロシア側はあくまでも民間の傭兵会社として正当な代金を受け取るだけで、金などの採掘権はマリのものになった。これから先、マリが世界的な資源大国となる可能性は高い。

傭兵を派遣したロシアにしてみれば、マリから優先的に金を買うことができれば、それが相応の値段の取引でも損はない。国際社会においてマリからの支持を得られるというプラス要素も見込める。今後もロシアはアフリカ各国において、同様の動きを広げていくことになるだろう。

ただし、同じアフリカでもイギリスの植民地だった国々は、もともとある程度の自治権も認める緩い統治で、フランスほどあくどいことをされていなかった。イギリスも資源を格安で買い続けてきたことは違いないが、それでもすべてを奪うような真似はしていなかったため、現在も両者の間では良好な関係が続いている。今後はローマ教皇の言葉を受けて、さらにアフリカ側が有利な関係性になることも予想される。

資源収奪に執着しないトランプのアフリカ政策

アフリカへは中国も積極的に進出している。しかし、欧州の植民地的手法とはまったく異なる。

かつて、アフリカ各国の政府の代表たちがアメリカや欧州に出向き、「我々にはこれだけの銅の資源がある」「その銅を与えるから、代わりに鉄道や学校、道路などをつくってくれないか」と提案したことがあった。しかし欧米はこの提案に見向きもしなかった。

だが中国へ話を持って行くと、中国は二つ返事でその提案を受け入れ、アンゴラ共和国の大西洋岸から内陸のコンゴ民主共和国までを結ぶ、全長１３４４キロに及ぶ鉄道を敷設した。

一方、欧米が何をやったかといえば、１９９０年代にコンゴ民主共和国で金やプラチナ、レアメタルのコルタン（コロンバイト・タンタライト）などの資源が見つかると、その地域だけに傭兵を送った。そして、コンゴ民主共和国の豊富な天然資源を独占し、国際市場で5000万ドルの価値があるものを、5000ドルで買い叩いたのだ。

このような悪質な資源泥棒を頻繁にやっていたため、アフリカの欧米に対する反発は相当なものとなっている。アメリカは現地住人たちのごきげん取りのため、1974年、コンゴ民主共和国の首都キンシャサで王者ジョージ・フォアマンにモハメド・アリが挑むボクシングのヘビー級タイトルマッチを開催したほどだった。

その後のアメリカは、もともとアフリカに植民地を持っていなかったこともあり、同地の利権にはさほど深く関わってきていない。

2022年12月にはワシントンにアフリカ各国の首脳を集めて「米国・アフリカリーダーズサミット」を開催し、そこでバイデンができもしない「3年間で550億ドル」の巨額支援を約束するなど、アフリカへの関与に色気をみせた。だが、トランプに代わればおそらくそうした動きも減速するはずだ。

なにしろトランプは米大統領時代に、中東の資源が豊富な地域からも米軍を撤退させている。もちろん駐留費負担を減らしたいという自国の都合を優先させたことではあったが、そもそもアフリカからの資源収奪にはさほど執着するつもりがないのだ。

そのため第二次トランプ政権となった場合でも、積極的なアフリカ進出を目指すことはなく、イギリスやロシアに現地のお目付け役を任せるというような態度になるものと思われる。

第3章

「もしトラ」で完全〝復活〟する日本

トランプ〝新〟大統領にパージされる自民党幹部たち

明治維新から始まった欧米による日本支配が、もうすぐ終わろうとしている。

2022年に安倍晋三元首相が亡くなったことをきっかけに始まった、旧統一教会に対する取り締まりの動き。これはディープ・ステートの没落を示す大きなサインであった。

ディープ・ステートは主要各国の中央銀行を私物化し、彼らの都合で刷った紙幣を政財界にばら撒くことで強大な影響力を行使してきたが、この時に利用するのが宗教法人だ。キリスト教シオニストなどカルトによる世紀末プロジェクトへ大量の資金を援助し、ローマ教をはじめとする様々な宗教団体を窓口にして、各国の政治家や財界人などに接近。多額の賄賂を渡すことでコントロールしてきた。

だがここにきて、金融市場を操って世界を支配してきたディープ・ステートの手法が、完全に行き詰まってしまった。それは壊滅状態となった米経済からも明らかだ。

そこで私が注目しているのが「自民党派閥の裏金問題」だ。

長年にわたって日本の政治経済を取材してきたなかで、私は政治家が札束の入った分厚い封筒を受け取る場面を何度か目撃したことがある。そのような金権政治は、永田町をディープ・ステートの台本どおりに動くだけの〝劇団員〟の集まりに変えてしまった。

このことが最も顕著に表れたのが、2023年6月に成立した「LGBT理解増進法」だ。

岸田文雄首相と自民党幹部たちは、党内や支持者からの強い反対があることを知りながら、強引にこの法案を通過させたが、これを命じたのはバラク・オバマだ。

オバマは急進的なLGBT支持者で、コンテンツ制作契約を結ぶネットフリックスの子供向け番組でも堂々と同性愛について語るほどである。同性婚についても強い賛意を示し、そんな様子からアメリカ国内では「オバマの妻のミシェルは、実はトランスジェンダー（女性を自認する男性）」ということが一般メディアでも報じられている。そんなオバマが、駐日大使のラーム・エマニュエルを通じて日本政府を動かし、ＬＧＢＴ法を成立させたのだ。

だが２０２４年に入ってディープ・ステート勢力と日本の関係に変化が生じてきた。

常態化していた裏金問題に検察のメスが入ったことは、自民党を始めとするこれまでアメリカの言いなりになってきた人間たちが、別の勢力によってパージされる前兆だ。

別の勢力というのは、もちろんトランプであり、それをバックで支える米軍良心派である。この先、トランプが大統領の座を奪還すれば、これまでディープ・ステートの言いなりになって日本搾取のお先棒を担いできた連中は、政治や経済の表舞台から一掃されることになる。

ハゲタカファンドが生み出した日本の「失われた30年」

第二次世界大戦後の日本は、アメリカが世界戦略ばかりに目を向けていたため、外交でアメリカの言うことを聞いておけば、内政干渉をされることはなかった。

そこで日本は優秀な官僚の指揮の下、「欧米に追いつけ、追い越せ」と高成長を成し遂げた。1985年までは1人当たりのGDP世界一。先進国のなかで最も格差が少なく、最も裕福な国だった。官僚たちが政治家をうまくコントロールしたことで国家運営も安定していた。

だがあまりの成長によってアメリカの産業を脅かすようになると、状況が一変する。それまでのアメリカは、貿易不均衡を是正するために「もっとウイスキーを買え」「牛肉を買え」「柑橘類も買え」としか言わなかったが、パパ・ブッシュはその方針を転換。「貿易不均衡を正さなくとも、日本にカネを貢がせればいい」と言い出した。

1985年8月12日、パパ・ブッシュは日航機123便への攻撃を指示。発射されたミサイルは搭乗していた520人の命を奪った。そうして圧倒的な武力で脅しつけることで、日本の舵取りの主導権を官僚から奪った。

官僚に取って代わったのがディープ・ステート配下の悪質なハゲタカファンドだ。ハゲタカの正体は主にヴァンガード、ブラックロック、ステートストリートなどの巨大投資信託会社であり、その株主は、表面上は多数の財団や慈善団体となっているが、さらにおおもとをたどればロックフェラーとロスチャイルドに繋がっている。

ハゲタカファンドがまず取りかかったのは「株の持ち合い解消」だった。株の持ち合いとは日本特有の商慣行で、一企業がメインバンクや大口の取引相手などとお互いに株式を持ち合うこと。持ち合いをすることにより資金調達や仕事の受注などが安定すると同時に、会社乗っ取りを防ぐなどのメリットがある。

だがハゲタカファンドはこれを「閉鎖的で不透明だ」と批判。2001年には、ディープ・ステートの忠実な下僕である竹中平蔵が小泉純一郎内閣において、銀行の株式保有を制限する「銀行等の株式等の保有の制限等に関する法律」を成立させた。この時、銀行が手放した株はハゲタカファンドに食い荒らされ、それ以降、日本の大企業の経営権を手にしたハゲタカにより、日本の富の多くが海外へ流出していくことになる。

そうして日本の高度成長期の豊かさはすべて奪われ、「失われた30年」が訪れる。一般の日本国民の多くは生活水準が下落し、貧富の差も広がっていった。

その一方で、政治家たちは国民を裏切る代わりに裏金をたっぷりと受け取ってきた。だが、そんな政治にようやくストップがかけられようとしている。つまり「日本国民の財産の搾取」が終わろうとしているのだ。

ある保守系の秘密結社の幹部は「政界の大掃除が終わったあと、日本は再び官僚中心の国家運営に戻るだろう。そして長年にわたりディープ・ステートの手先になってきた長州閥は、日本の表舞台から消えることになる」と語っている。

弱まったディープ・ステートの日本への圧力

これまでの日本の政治家たちは、ただ賄賂をもらっていただけでなく、それと同時に徹底した脅しをかけられていた。

竹下登や小渕恵三、橋本龍太郎らはディープ・ステートの意に反する政策を実行しようとしたために抹殺され、日本のエリートたちは竹下が拷問にかけられた時の映像を見せられ、「お前たちも言うことを聞かないと同じことになる」と脅された。日本の政治家たちはこれに恐れをなし、ディープ・ステートの用意した脚本を読むことしかできなくなっていったとされている。

　橋本龍太郎は首相在任中の1997年、米コロンビア大学における講演後の質疑応答で「日本は米国債を売り、金（ゴールド）を買いたい衝動に駆られることがあるかもしれない」とコメントした。学生からの「米国債を持ち続けることの合理性」に関する質問に返答したもので、あくまでもたとえ話の軽口だった。

　ところがアメリカの株式市場はこの橋本のコメントに反応し、ダウ平均はブラックマンデー以降では最大級の下げ幅を記録する。この顚末の制裁として橋本は消されることになってしまった。

　ところが2023年9月、注目すべき事件が起きた。日本銀行が保有していた米国債の一部を売却したのだ。これについて日銀側は公表こそしていないが、過熱する円安にストップをかける思惑からのことだった。

　岸田首相も橋本が米国債に言及したせいで消されたことは知っているはず。なのに、なぜ売却の決断ができたのか。これはすなわち政府へのディープ・ステートの圧力が弱まっていることの証拠なのだ。

　そのことを裏づけるように、これまでディープ・ステートから派遣された司令塔として、日本の政治決定に口出しをしてきたジャパン・ハンドラーと呼ばれる人たち——リチャード・アーミテージやマイケル・グリーンといった名前を目にしなくなった。

ジャパン・ハンドラーがいなくなるということは、ディープ・ステートによる日本支配の方針が変わったということである。今までの司令塔がいなくなれば、それは自主独立のチャンスとなるはずだ。しかし日本の政治家たちはどうしたらいいかわからず、ただ立ち尽くしているだけ。次の司令塔がディープ・ステートからやってくるのをぼやっと待っている。

圧力もなければ監視もない。いわば監獄のドアが開いているような状態だ。それなのに、日本の政治家たちは檻から出ようとしない。

これは大手マスコミも同様だ。タッカー・カールソンによるプーチンのインタビューが問題なく公開されたことからすれば、ディープ・ステートによる「情報狩り」はほとんどなくなったとみていい。「ウクライナ不利」「ロシア有利」という報道をしても、会社をクビにはならないし、殺されることもない。

それなのに日本のメディアは千年一日のごとく、かつてディープ・ステートから命じられた通りに新型コロナワクチンやコオロギ食、ＳＤＧｓなどを称揚するばかりなのである。

トランプに対抗できる日本の政治家はいない

トランプが再び大統領になった時、日本の政治家では誰がうまく付き合うことができるのか。麻生太郎か、高市早苗か、それとも河野太郎なのか。多様な名前が挙がっているが、私に言わせれば日本の既存の政治家は誰一人として新たな時代に対応することはできない。これまでずっとディープ・ステートの言いなりになってきた人間が、まったく逆の立場にいるトランプと同列に立って話すことなどできるわけがない。

日本が真の復興を果たすためには、これまでの政治と関わりのない、まったく誰も想像しないような、たとえばビートたけしがいきなり総理大臣になるぐらいの大胆な変革が求められる。

私としては、新時代の政治家は民間セクターから選ばれるべきだと考える。トヨタ自動車やパナソニックなどの企業から立ってもらうのだ。民間セクターであれば、まだ日本人にも優秀な人材がたくさんいる。

たとえばトヨタ自動車は、いくら国際的な圧力をかけられても「電気自動車一辺倒」とはならず、独自に水素エンジンの開発を続け、しっかり結果も出している。このように、欧米に屈服することなく、独自の政治決定ができる人物がトップに立たないことには、日本は今後もダメなままだろう。

今の自民党議員のレベルでは、トランプが大統領になっても、これまでもそうしてきたように、ペコペコするだけ。言ってはなんだが、ちょっと下品なトランプのような外国人にへりくだること自体が、日本の没落を象徴することになる。

おそらくトランプは「もうペコペコしなくていいよ」といった甘いことは、絶対に言わない。アメリカが有利になると考えれば、当然日本を利用することを考える。日本側から「手下になりたい」と言えば喜んで受け入れるだろう。

トランプの本質はビジネスマンであり、他国に対しても「自分たちで自由にやってください」「それぞれの立場で取引をしましょう」というスタンスだ。その時に、お互いの利害が対立すればアメリカ・ファーストのディールで挑んでくるが、基本のところはフェアなのだ。

現在の日本政界は二世、三世の議員ばかりで、彼らは親の代から洗脳されてきたディープ・ステート側にとって都合のいい〝逸材〟だ。

私が経済誌『フォーブス』に在籍していた頃、テレビのゴールデンタイムで、政治家と議論をする番組に出たことがあったが、彼らのレベルがあまりにも低すぎて「こんな人たちがこの国を指導しているのか」と驚かされた。実は政治家は指導などしておらず、ただ脚本を読むだけの役者だということを、その時代にはまだわかっていなかったのだ。彼らが政治家の二世で、実質的な権限を持たないただの役者だということはのちになってわかった。

そんな政治家たちは、冗談抜きでヤクザにも劣る。日本における任侠団体は、実は完全に能力主義を取っており、多くの組織では組長の息子だからといって後継ぎになることはできない。政治家も能力主義を最優先し、「自分の親の地盤で出馬してはならない」とすべきなのだ。親とはまったく違う選挙区で当選すれば実力として認められるが、世襲制を許せば日本の政治家の質はますます劣化していくだけだ。

様々なデータを見ると、ものすごく優秀な人材でも三世代後になれば、たいていの場合、一般人の平均値程度まで能力は下がってしまう。つまり優秀だった政治家の孫が政治家になっても、その能力は平均かそれ以下でしかないわけだ。

実際、現役の政治家の取材をしても、話す内容はタクシー運転手と大差はない。国家を導く役割を担う政治家がそれではダメなのだ。

「日本版プーチン」を探し出せ

「次期首相は誰に期待するか?」という新聞社のアンケートで「石破茂が23%でトップ」という結果が出たところで、しょせんは2割。プーチンを支持するロシア国民は9割だ。

「ロシアの選挙はインチキだ」「得票数も操作されている」と思うだろうが、このぐらいの操作もできない程度の能力では、根本から国をよくすることなどできるわけがない。現体制を一掃するぐらいの発想が求められる今、これまでの枠組みの中で考えているだけでは通用しない。

プーチンもトランプも、政治経験のないところから突然政界に現れた。日本にも、今まで注目されていなかっただけで、政治家としての高い資質を持つ人材は必ずいる。

そんな「日本版のプーチン」というべき人物を、既存の体制とは別のところから探し出すことが、これからの日本にとっては重要で、実際にそういう動きは始まっている。

八咫烏《やたがらす》などの秘密結社——というと胡散臭く感じるかもしれないが、日本の歴史を陰から支えてきた組織というのはたしかに存在する。

2023年に流行ったドラマ『VIVANT』で取り上げられた自衛隊の諜報機関「別班《べっぱん》」もその一つだ。私がこれまでに接触した秘密結社と呼べるものだと、皇室の傍系にあたる一族のグループや、伝統的な神道を代々守ってきた一族のグループ、中国の青幇・紅幇の系譜に連なる組織などがあった。

これら日本の秘密結社に共通するのは、「今の体制のままでは日本は滅ぶ」という危機意識を持っていることだ。日本の社会は外圧によってずいぶんと形を変えられてしまったが、彼らは、古来つむいできた独自のものを日本人の手で再生させ、象徴的な天皇陛下のもとで官僚が主導する体制の構築を目指している。

官僚というと、なにやら諸悪の根源のように毛嫌いする日本人も多い。これは、かつて官僚主導で高度成長を果たしたような成功体験を、日本に繰り返させたくない勢力が、ネガティブキャンペーンを行ってきたせいだ。

だが実際にその成果を見れば、日本国民みんなが豊かで、世界的にも珍しいほどの幸せな時代を日本の官僚たちはつくってきた。

昭和の時代、経済企画庁の官僚は長期プロジェクトを立案し、各企業に予算を振り分け、「何年後にこういう大きい成果を出しましょう」とやってきた。高速道路や新幹線を整備するなど、経済企画庁はものすごく重要な役割を果たしてきたのだ。だが、小泉・竹中時代の２００１年1月に、経済企画庁は再編され、内閣府の一部門に格下げされた。

私が日本に来たのはバブル期直前、戦後40年間ほど2桁台の経済成長を続けていた時代だった。工業・化学技術など、当時の日本は様々な面で欧米を上回っており、私はその仕組みを勉強したくて来日したのだ。

しかしその後は、日本の優れた仕組みが崩される様子を現場記者として目の当たりにすることになってしまった。それでもあの時代を取り戻すことができれば日本は再びすばらしい国になるという確信がある。

大切なのは国家としての目標だ。「国民の多くはなにを望んでいるのか」「これから5年後、この国はどうあるべきか」ということをしっかり考えて、「今のアパートが狭い」というなら、国民みんなが広いアパートに住むことができるようにする。「近くにテーマパークが欲しい」など目標はなんでも構わないが、その目標を着実に実現していくことを国の方針として定めることが、復興の第一歩となるだろう。

かつての日本は、ほとんどの家庭に水洗トイレがなくてボットン便所があたりまえだったが、それを5年以内に下水を整備して水洗にしようといって、実際にやり遂げた。本来はそういうことのできる力がある国なのだ。

パパ・ブッシュの時代に、国民それぞれが「自分たちでこれからどんな未来をつくろうか」と考え、選択する権限を奪われた。そんな時代が続いた結果、多くの国民は「家畜が夢を見てもしょうがない」というような心性になってしまった。

それが「トランプ時代」になり、ディープ・ステートの圧力から解放された日には、いろいろな面ですごいことが起きるだろう。

〝戦犯〟として裁かれる新型コロナワクチン接種の責任者

日本のメディアは相変わらず「トランプが大統領になれば分断が起きる」と報じる。だが、アメリカではトランプが大統領になる前から分断は起きている。いや、分断が起きたからトランプが出てきたと言っていいだろう。

「トランプがいかに間違っているか」と言っている人間も、よくよく話を聞いてみれば、どこが間違っているかを具体的には言わない。

「なんだか下品で言葉も汚い」と言われれば、そこは私も否定しない。政治力も人間性も備わった人物ということでいえば、前回のトランプ政権で国防長官補の顧問を務めたダグラス・マクレガー元米軍大佐など、他にもっとふさわしいと思う人物もいる。

しかし日本のニュースはそうした検証もないまま、ただ「トランプが大統領になれば分断が起きる」ということばかり報じる。なんとしてもトランプを大統領にさせたくないと考えるユダヤマフィア＝ディープ・ステートの命令に従うしか能がないエセ政治家と、プロパガンダ機関に堕した似非マスコミは、自分たちの立場が脅かされることだけを恐れる。それは、ディープ・ステートからの命令が止まった現在でも変わっていない。

日本の報道は1年遅れの古い脚本に沿ったストーリーを伝えており、現在起こっている世界情勢は、1年後にようやくキャッチアップされる。決して大げさに言っているのではなく、海外のニュースをチェックしている人なら、これが事実であることがわかるはずだ。

今、海外メディアでは新型コロナワクチンを接種したことによる健康被害の状況や、危険なワクチンを製造した製薬会社と接種を推奨した政府を被告とした裁判についての報道が大々的に行われている。しかし日本ではそうした気配が見られない。ワクチン接種キャンペーンを繰り広げてきた政治家やマスコミからの反省の弁も、いまだに聞かれない。

しかしこれが〝大量虐殺事件〟であったことは、厚生労働省が公表する日本の超過死亡率データを見れば明らかだ。政府やマスコミがワクチン被害を矮小化するような態度を続けていれば、いずれ責任を問われることになる。そして、ワクチンを推進した指導者たちは必ず戦犯として裁かれることになる。

すべての日本国民に800万円が還元

明治時代の始まりや、第二次世界大戦の敗戦と同レベルの劇的な変化が、これからの日本に起きることは確かである。

この時、もしもこれまで海外のディープ・ステート系ハゲタカファンドに奪われていた日本の資産が、すべて日本国民に還元されると考えた場合、日本の時価総額を人口で割ると、1人当たりざっと800万円になる。手元でざっくり計算しただけなので、絶対に正確な金額とは言えないが、それなりに夢のある数字ではあろう。

赤ん坊から老人まで、老若男女すべての国民に800万円が渡されて、さらに徳政令が出されて、すべてのローンはチャラになる。今住んでいる住居もすべて自分たちの所有資産になって家賃はゼロ。また、日銀の国有化と政府紙幣の発行によって税金も国民健康保険も払わなくていいということにもなり、日本国民みんながハッピーに暮らせるだろう。逆に言えば、それほどの富をハゲタカに盗まれていたということだ。

トランプ政権の誕生＝ディープ・ステートの敗北となれば、上記の金額そのままが還元されることはなくとも、相当なレベルで生活状況が改善されることは間違いない。

「そんな兆しはまったく感じられない」と思うかもしれないが、それは仕方のないことだ。たとえば大型タンカー船が航海中に、突然目的地を変えて方向転換をしようとしても、それまでの推進力が働いているからすぐに方向は変わらない。

そしてタンカー船の先端の向きが変わっても、後尾は遠回りになるから、方向が変わるまでかなりの時間がかかる。タンカー船の後方にいる日本国民は、とっくに方向転換することが決まっていることも知らず、あいかわらず古い常識がリセットされていない。

アメリカと聞いてハリウッド映画の世界や、マンハッタンの高層ビル群、ラスベガスの華やか光景などを思い浮かべる人は、相当情報が遅れていると思っていい。スーパーボウルやMLBをライブ観戦して歓声を上げているのはそれなりのお金持ちだけで、何度も述べたが、実際には万引きで食いつなぐホームレスがどんどん増えている。

だがこのような状況は、日本でも決して他人事ではない。

埼玉県川口市に住む友人の話では、駅周辺やコンビニ前などには常にクルド人たちがたむろしており、道行く日本人女性に声をかけたり、仲間内で騒いだりと、治安や住環境がものすごく悪化しているという。

クルド人たちは、多少の悪事を働いても逮捕されることは稀で、しかも彼らの多くは、かなり裕福そうに見えるという。なんらかの公的扶助を得ているのか、それとも違法ビジネスに携わっているのか、いずれにしても真っ当な状況とは思えない。

彼らは難民と自称しているが、出入国在留管理庁（入管）で承認されているわけではなく、実質的にはアメリカの不法移民となんら変わらない。その多くが家族連れではなく単身の成年男性という点も、現在のアメリカの不法移民たちと似ている。

そんなクルド人たちを左翼団体などが支援するのは、いつものことではあるが、奇妙なのは、保守系を自認している与党議員までもが「日本クルド友好議員連盟」なるものを立ち上げて擁護の姿勢を見せている点だ。

マスコミも「かわいそうな難民」として取り上げる時は「クルド人」という呼称を使うが、クルド人が犯罪を起こした時は「トルコ国籍」と報じ、クルド人全般の評判がなるべく悪くならないように印象操作をしている。

まるで欧州やアメリカを悩ませる不法移民問題を、日本が悪い意味で追随しているようであり、この先は今以上に不法移民問題で悩まされることとなるだろう。

欧米で先んじて社会問題となっていることを、なぜ日本は学ばないのか？　それは日本の政治家やマスコミが世界の変化に気づかないまま、すでに効力のなくなったディープ・ステートの命令を忠実に実行し続けているからである。

〝地震兵器〟での発生はなくなった南海トラフ地震

2024年の元日に石川県能登半島で発生したM7・6の地震について、MI

6の情報筋は人工地震だった可能性に言及している。ただし、2011年に発生した東日本大震災テロの時とは異なり、海底に核爆弾が仕掛けられた形跡は今のところ見つかっていない。

核でなければ電磁波攻撃の可能性が高まるが、その命令を下す権限を持つのは、米海軍の第七艦隊の提督だ。そしてその人物は能登地震の発生後に左遷されている。

一部の情報筋は「地震は日本の独立を阻止するための脅しだったのではないか」と話す。だが逆に「第七艦隊の提督が懲戒で左遷されたのは、支配者が変わったからだ」「だから今後はもう地震兵器による攻撃はない」とする情報もある。

日本がこれまで地震兵器で脅されてきたというのは、海外の情報筋からも聞かされており、日本のある秘密結社のメンバーも言っていたことだ。「言うことを聞かなければ、また3・11のような目に遭わせるぞ」というものだが、最近では核兵器と同じく、地震兵器も一方通行ではなくなった。「核ミサイルを撃てば、こちらも報復で核ミサイルを撃つ」と同様に、地震兵器で攻撃されれば、こちらも同等の報復が可能だというのだ。

東大西洋にあるラ・パルマという島の真ん中にはひずみがあり、これが1000

年以内に沈没すると予測されているが、実際に沈没すれば、その時アメリカの東海岸とヨーロッパの南海岸を100メートル級の津波が襲うという予測がある。3・11のあと、ラ・パルマ島で、100回以上の地震が起きた。3・11後に起きたこのラ・パルマ島の地震を、一種の警告と受け取った欧米のディープ・ステートは、おいそれと地震兵器で日本を脅すことができなくなった。

そうすると、長らく日本脅しに使われてきた南海トラフ地震も、少なくとも人為的に起こされる危険はなくなったとみていいだろう。

米国内の治安活動に自衛隊が参加

アメリカも日本もディープ・ステートの被害者同士であり、日米が同じく解放された時、真の同盟関係を結ぶことが可能だ。日本はこの同盟で、ようやく「第二次世界大戦の敗戦国」という戦後の枠組みから抜け出すことができる。国家が根本から変わるチャンスなのだ。

とはいえ、現在の日本を見ると、何か自信がなさげというか、日本人が日本を卑下するような言動をあらゆる場面で目にする。そういう態度を続けているようでは、せっかくの機会を活かすことはできない。

実際のところ、日本もそう捨てたものではない。ＣＩＡ筋からの情報によると、日本をファイブ・アイズに参加させる動きがあるという。ファイブ・アイズとはアメリカ、イギリス、カナダ、オーストラリア、ニュージーランドのアングロサクソン系5カ国による機密情報共有の枠組であり、本来ならば日本とは縁のないもの。そこに誘われるということは、それだけ日本の能力がファイブ・アイズの5カ国に信頼されているのだ。

２０２４年3月に国会提出されたセキュリティ・クリアランス法案（民間人を含めて経済安全保障上の重要情報を扱う人の身辺を国が事前に調べるというもの）の成立次第、「ファイブ・アイズ・プラス」というような形で、オブザーバー的に参加の手続きが取られると聞いている。

日本の自衛隊はかなりの長期間にわたって、軍事レベル、参謀レベルで米軍と綿密な人間関係を築いており、大きな信頼を得ている。米軍良心派が主導するトランプ政権が誕生すれば、自衛隊が米国内で行われる治安活動に参加することもあり得るだろう。

トランプの目指す「世界をブロック化する」という世界戦略が実現へ向かう際は、日本は中国と共同か、あるいは日本単独でブロックのトップに立ち、アジア圏のリーダーの座を担うことになると見られている。

この先、ディープ・ステートに搾取されてきた日本の資産が日本人の手に戻り、大きく景気が回復すれば、負け犬的なマインドも変わり、日本人としての自信が出てくるだろう。バブル期のような経済環境が、日本にとって〝当たり前〟になることとは、決して夢物語ではない。

第4章

「もしトラ」で完全〝駆逐〟される旧支配者たち

消えたディープ・ステートの長老たち

表に見えている大統領などの指導者たちは、大半が台本を読んで演じるだけの役者であって、実際に社会を動かしているのは、表に立たず、裏で「脚本」を書いている黒幕たちだ。

だから役者を排除したところでたいして意味はない。2022年11月にインドネシアで行われたG20サミットでは、バイデンがロシアの特殊部隊に殺された（本物のバイデンはそれ以前に死亡しており、この時殺されたのは影武者だったのだが）。

ロシアとしては、バイデンを暗殺することでウクライナの戦況を動かしたいという思惑があった。しかし「バイデン死亡」が報じられることはなく、一向に何も起こらない。そうして2週間後には〝新しいバイデン〟が何事もなかったかのように登場した。

世界トップの権力者と思われている米大統領が暗殺されても、現在の社会においてはさほど大きな影響はないのである、米人気テレビドラマシリーズの『ゲーム・オブ・スローンズ』の物語の中でメインキャストたちが次々と死んでも、すぐに新しい登場人物が現れて何事もなくドラマは続いていった。それと同じで、バイデンが暗殺されたところで、裏でストーリーをつくっている黒幕が対処すれば、それで済んでしまうのだ。

逆に、裏の脚本家が不在になれば、たちまち世界は混乱に陥る。

2023年11月29日、長年にわたり欧米の最高権力者の1人とされてきたヘンリー・キッシンジャーの他界が報じられた。キッシンジャーは現在の世界経済の基本となっている「石油ドル体制」を生み出した張本人だ。

2017年まで世界の頂点に君臨していたデイヴィッド・ロックフェラーが最も頼りにしていた側近であり、デイヴィッドの死後はロックフェラー家において、事実上の司令塔を担ってきた。当然、バイデン政権を裏からコントロールしていたのもキッシンジャーであり、ここにきて米社会の崩壊が加速しているのも、キッシンジャー不在の影響が大きい。

キッシンジャーの死によって、欧米で権力の座を占めてきた長老クラスは　ほとんどいなくなった。現在も生き残っているのは世界経済フォーラム（ダボス会議）主宰のクラウス・シュワブくらいだ。シュワブは世界経済フォーラムの上位メンバーたちとともに、国連などの国際組織で権力を振るってきた。

シュワブはロスチャイルド一族の長でもあるが、この半年ほど、ほとんど姿を見せていない。その影響もあるのだろう。シュワブが基盤としているEUも、ウクライナ戦争の失敗や、農家による大規模デモによって危機的な状況に陥っている。

バイデン政権がロックフェラー政権である証拠はたくさんあって、たとえばバイデン政権の閣僚はほとんど、CFR（外交問題評議会）のメンバーだ。CFRとは、ロックフェラーが主宰する外交問題の研究・分析を目的とする超党派組織だ。

そんな現体制＝ディープ・ステートの打倒を狙うのは、ここまでに述べてきたトランプと米軍良心派のグループだけではない。ここ数年は、ロックフェラー以外のアメリカの伝統的な名家、有名なところではハリマン家の一族などが、ロックフェラーの排斥を訴えている。

ロックフェラーによる世界支配のストーリーに綻びが生じ、崩壊しようとしているのは、裏の脚本家だったキッシンジャーの死だけが原因ではない。世界の実体経済の過半数がＢＲＩＣＳに移ったことも、現体制の影響力を削ぐ大きな要因となっている。これはつまり、世界の実体経済の半分以上がディープ・ステートの管理から外れてしまったということであり、その地殻変動によって権力構造も、すべて変わり始めているのである。

ディープ・ステートの誤りは、ドルそのものに価値があると勘違いをしたことだ。ドルに価値があるから、ドルの力を使って、中国人に物をつくらせたり、アフリカや中近東から資源を出させたりして、アメリカはその管理だけをしていればいい、というふうに考えるようになってしまった。

時価総額だけを指標にして「株価が上がったから好景気」「株価が上がれば豊かになる」ということが近年は常識とされてきた。しかし現実社会では時価総額がすべての尺度ではない。コンピュータの中の株価のチャートがいくら上昇したところで、それで腹が満たされるわけではない。

結局、世界の大多数を占める一般の人々にとっては、株券や権利書などよりも、何かしらの実体がある物品のほうが大切なのだ。つまりディープ・ステートの敗北とは、金融というバーチャル世界が「人間の日々の営みというリアル」に負けたということでもある。

ＢＲＩＣＳが旧支配者＝ディープ・ステートを打倒

欧米の金融第一主義は、逆にＢＲＩＣＳを躍進させることになった。白人は有色人種を見下し、「俺たちはお金を刷るから、あとはみんなが働けばいい」と考えた。「そのお金には本当に価値があるんですか？」「価値の裏づけはなんですか？」と問われても、いろいろと理屈をこねてごまかしてきたが、ついに欧米の嘘がバレてしまったことで、これまでの世界秩序の崩壊が始まった。ディープ・ステートが狙う世界支配に基づく新世界秩序とはまったく別の、ＢＲＩＣＳが主体となる新時代が始まったのだ。

インターネットの普及によって、一般社会に対する情報統制が困難になったことも、ディープ・ステートにとって誤算だった。その意味でも、９・11は欧米にとっての大きな転機となった。９・11を境にして、メディアの垂れ流す大本営発表に対し、世界中の多くの人たちが「あれ？　おかしいぞ」「何か違うぞ」と考えるようになった。

ネットがない時代の情報管理体制が続いていたなら、私のように真実を暴き出そうとする人間は社会から村八分にされ、大手マスコミから出入り禁止にされていただろう。こうして出版社から書籍を発行することもできず、「いつも街角に立って演説しているちょっと変わった外国人」で終わっていたかもしれない。それが今ではインターネットによって、大手メディアに引けを取らない発信力を持つことができるようになった。

欧米の支配者層たちの帝王学において、重要とされてきたのは情報と軍と餌（食糧）だった。しかし、現在、支配者層の情報管理は穴だらけになった。「ロシアが悪い」「ロシアを潰さなければいけない」というストーリーをつくっても、プーチンのインタビューがXに投稿されれば、プーチン自身の意見や見解がたちまち世界中に発信される。

軍はかろうじて体裁を保っているが、アメリカにおいては現体制に反発する姿勢を明確に見せている。餌を管理しようとした欧州では、農家の大規模デモが勃発している。

情報も軍も餌も管理できなくなれば、支配者層の失脚は時間の問題である。衰退するG7各国の姿を見て、BRICSを始めとする世界の国々が「今ならG7に勝てそうだ」「もうG7はいらない」と思い始めている。

ディープ・ステートとしては、こうなる前に自分たちの力で第三次世界大戦を起こすつもりだった。しかし今では、その手も使えない状況になってしまった。最新の工作はイスラエルによるガザ攻撃だったが、戦禍が世界に広がる様子はまったくない。9・11の時までは世界中をだますことができたが、今ではもう誰もだまされない。

イスラエルによるガザへの攻撃は、実際の戦闘行為の映像にプラスして、頭が潰された幼い子供の動画のような残虐映像が世界に向けて流布され、その蛮行に怒った中東の国々が一斉にイスラエルを攻撃することを狙ったものだった。

そうして攻撃を受けたイスラエルが核爆弾で反撃して、第三次世界大戦にまで発展させるのが、ディープ・ステートの描いていたシナリオだ。

だが、現在は瞬時にSNS上で真実が暴かれる時代であり、自作自演に釣られるのはテレビや新聞しか情報源を持たないお年寄りだけなのである。

自作自演の事件をきっかけにして大規模な戦争を起こそうという試みは、これまでに何度も行われてきた。最初は1962年のキューバ危機で、実際に核戦争寸前にまでなったが、内部告発によって回避された。

その後の30年間は「イランがあと数カ月で核兵器を持つ」と危機を煽ってきたが、結局、大規模な戦争は起こせなかった。イスラエルの潜水艦がハワイに原子爆弾を飛ばしたこともあったが、米軍が迎撃し、ミサイルを発射した潜水艦も撃沈させたことで最悪の事態を回避した。北朝鮮を悪者に仕立て、これを攻撃することで中国との戦争にまで発展させる計画もあったが、これもうまくいっていない。

ウクライナ戦争とガザ地区での紛争はワンセットで計画されたもので、欧州から中東まで戦禍を拡大させる目論見だったが、結局、失敗に終わりそうだ。

失敗が続くディープ・ステートのハルマゲドン計画

最近のテロ攻撃で多く使われ始めたのが、レーザー兵器だ。ディープ・ステートは、長距離レーザー砲を搭載した人工衛星や航空機を所持しており、これを使って宇宙や空から攻撃を加えるのだ。

近年、世界中で原因不明の山火事が起きているが、その際に天空高くからレーザービームが走る映像が実際にいくつも出回っており、XなどのSNSで確認できる。

2024年2月にはテキサス州で、草原や森林など約4400平方キロメートル（東京都の面積の約2倍）を延焼する、同州史上最大の山火事が発生した。バイデンの移民政策に反対し、連邦政府と対決姿勢をみせるテキサス州への制裁行為とみられる。なお、この山火事を受けてバイデンは、「屋根の色を青にすれば、家は破壊されない」と、謎めいたメッセージを発している。

他にもブラジルのアマゾン、チリ、メキシコ、ハワイのマウイ島など、世界各地で山火事が頻発している。中国は2024年2月の貴州省に続いて、3月にもパンダの生息域のある四川省で大規模な山火事が発生。これを宇宙からの攻撃とみなした中国人民解放軍は、レーザー砲を搭載した衛星そのものを撃墜する計画を立てているとされる。

ただし、このレーザー兵器は、森林を燃やすことはできても、軍事施設を破壊するほどの攻撃力は保有していないようで、現時点での宇宙戦争計画はあくまでも途中段階である。

ディープ・ステートによる最大の計画は、2020年から始まった新型コロナウイルスによるパンデミックで、一時は世界を巻き込む騒動となったが、本来の目的だった「人口削減」には至らず、早々に収束してしまった。

2024年からは飢餓危機を起こそうとしているが、その準備段階で欧州全土の農家から大反発を受け、各国の議場や政治家の自宅はデモ隊のばら撒く糞便まみれになってしまった。

このように、立て続けに計画が失敗したことはディープ・ステートの弱体化の表れで、このまま世界にはびこっていた〝寄生虫〟がいなくなれば、必ず世界はよくなっていくだろう。

だが、その前に、旧来のシステム崩壊にともなうカオスが必ず訪れることは、覚悟しておかなければならない。

ソ連崩壊後、ロシアではお年寄りたちが食糧を手に入れるため、道端に家宝を並べて販売するような事態にまでなった。そして現在のアメリカでも同じようなことが起きている。もはやアメリカはソフトランディングを望めるような状態にはなく、かなりの破壊を伴うことは間違いない。しばらくはカオスが続くことになるだろう。応急処置でどうにかなるものでもなく、政治経済の面からできることも少ない。

せめてもの対策は、米国民に対する精神面のケアであり、この時に求められるのがトランプのリーダーシップだ。

過酷なカオスに対して、どれほど前向きなマインドを引き出すことができるのか。そこはトランプの手腕にかかっている。

英王室消滅危機とジェイコブ・ロスチャイルドの死

2024年2月、イギリスのチャールズ国王が前立腺がんになったと発表があった。その直前にはエプスタイン文書に絡めて、チャールズ国王がたくさん子供を犯して殺したというようなスキャンダル記事が出回っていたことから「追及を逃れるための詐病」との憶測も流れた。

すると3月になって、SNSで「チャールズ国王死亡」の噂が広まった。王室側はフェイクニュースだとして即座に否定したが、なにやら周辺がザワついているようではある。

英王室周辺ではチャールズ国王以外にも「ウィリアム皇太子が王位継承を拒んだ」「アンドルー王子が公務引退」「アンドルー王子元妃のセーラが皮膚がん告白後に消息不明」など、様々なゴシップが飛び交っている。

トーマス・キングストンも2024年2月に45歳の若さで急死した。キングストンは「チャールズ国王の義理のはとこ」という遠縁ではあるが、妻ガブリエラの父であるマイケル・オブ・ケント王子は、フリーメイソン組織のトップである。その長女の夫が急死して、死因は外傷性の頭部損傷というから、こちらも相当きな臭い話だ。

デンマークでは2024年1月にマルグレーテ女王が唐突に退位した。

ノルウェー国王のハーラル5世は私的に訪れていたマレーシアで感染症により緊急入院。2023年にはローマ・カトリック教会の教皇フランシスコも呼吸器系の疾患で緊急入院している。

英王室の皇太子たち以外はいずれも高齢で、入院や退位も不思議なことではないが、ここにきて立て続けに発表されているところをみると、何かしらの裏の動きが活発化していることがうかがえる。

2024年2月にはローマ教皇とフリーメイソンが大きな会議を開催しており、今、世界は目まぐるしく動いている。

2024年2月26日には、ロスチャイルド・ロンドン家の当主、ジェイコブ・ロスチャイルドの死亡が発表された。MI6からの情報によると、ジェイコブは2

017年に死亡したが、創価学会の池田大作のように後継者問題や莫大な利権があったため、相続の詳細が決まるまで、死亡の発表が遅れていたという。

欧米では、いわゆる陰謀論とされてきた情報の多くについて、最近になって事実だと認めるようになった人が急増している。そのため、一般の人々の間でもようやくロスチャイルドやロックフェラーは「陰で世界を支配してきた人間」と認識されつつある。

ジェイコブの財産を相続するのは長男のナサニエルではなく、長女のハンナ・ロスチャイルドだという。ナサニエルは現在消息不明で、相続に関するトラブルに巻き込まれた可能性もあると情報筋は伝える。ハンナは作家活動などをしていたとされるが、これまで情報筋からハンナの名前を聞いたことがなかった。そのため、ハンナがロスチャイルド家の当主となることには違和感を禁じ得ない。

ロスチャイルド・フランス家の当主だったベンジャミン・ド・ロスチャイルドは2021年、57歳で急死した。心臓麻痺とのことだが暗殺された可能性は高い。

その後、フランス家の当主となったダヴィド・ド・ロチルド（ロチルドはロスチャイルドのフランス語読み）とは、これまで私は人を介して間接的に連絡を取っていたのだが、2024年に入ってからは「休暇に入った」という理由で連絡が取れなくなった。情報筋からはスイスの秘密アジトで身を潜めているか、もしくはすでに粛清されたかのどちらかだと聞いている。

いずれにしても、ロスチャイルドのメンバーが次々と死んでいるのは事実である。昔はイタリア分家もあったが、全員が抹殺されて完全に消滅している。イタリア分家が消えて、現在残っているのはフランス、ロンドン、スイスの3家だが、フランス家とロンドン家の先行きは不透明だ。

マクロン仏大統領の破滅とディープ・ステート幹部の逃亡

フランス大統領のエマニエル・マクロンが2024年2月、いきなり「NATOはウクライナで戦うべきだ」と言い出した。

だがドイツのオラフ・ショルツ首相は「ドイツはロシアと戦うつもりはない」と即座に拒否。イェンス・ストルテンベルグNATO事務総長も同様に「ロシアと戦うべきでない」と断言した。

マクロンの発言はウクライナでフランス人兵士がミサイル攻撃により多数殺害されたことを受けたものだが、フランス単独では何もできない。ドイツやNATOに共闘を拒否されれば、ロシアに対抗できる手段がないのだ。

マクロンはロスチャイルドの系譜で、つまり「ウクライナ参戦」もディープ・ステートの考えに則った発言であるが、「ロシアを倒す」という意見が今では少数派で、マクロンが孤立していることを示すことになった。

マクロンは自国内でも孤立し、大統領の座から追われる日が近づいている。フランス軍の幹部筋によると、マクロンは2023年、激化する市民デモへの対応としてデモ隊への発砲を指示したものの、警察と軍の両方から拒絶されたという。またロシアとの戦争準備を指示した時も、軍から完全に拒否されている。さらにフランス軍のアンドレ・クストゥ元将軍がマクロンのことを「フランスの敵だ」と吐き捨てるように言い放つ動画も出回っている。

農業フェアに参加しようとした際には、農家たちが暴動を起こして参加できなかった。市民からの反発は激しくなる一方で、マクロンが街頭で演説する際は、鉄格子状の囲いの中から出てこない。フランス軍に見放された結果、マクロンは外国人傭兵に守られて行動しているという。すでにマクロンは末期症状なのだ。

また、ディープ・ステートの計画実行組織であるビル&メリンダ・ゲイツ財団が、所有しているGAFAなどの主要株を大量に売却し始めたと報じられている。アマゾンのジェフ・ベゾスも大量の自社株を投げ売りしている。

その一方で、2024年2~3月の株式市場は日米ともに活況を呈し、メディアは「史上最高値更新」などと浮かれている。

だがこれは、私から言わせれば最後の祭りだ。世界のエスタブリッシュメントたちは各国の中央銀行に自分たちの持っている会社の株を買わせて嵩上《かさ》げして、一般投資家を誘導したうえで売り抜けている。株の大量売却と株高という一見すると矛盾するニュースが同時に流れるのはそういう理屈で、支配者層の連中はそこで最後の集金をしているのだ。

そして株の売却益は、金(ゴールド)などの現物に換えている。歴史物のドラマなどで、武将が落城する前に金目の物をかき集めて逃げ道を探しているようなイメージだ。このように、ディープ・ステート幹部の多くが現物資産とともに地下アジトへ隠れている。

オバマ元米大統領がプロデュースしたネットフリックスの映画『終わらない終末』にも似たような場面が出てくる。

アメリカ全土がサイバー攻撃を受けるという一種のパニック映画だが、そこでは大都会から逃げ出した富裕層たちが地下アジトに逃げ込む姿が描かれている。オバマはこの作品で、何かしらのサインを発しているのかもしれないし、あるいは映画を利用して、近い将来に自分が地下へ逃げ込む時のシミュレーションをしているのかもしれない。

マーク・ザッカーバーグがつくったハワイの地下施設は、その図面も明らかになっている。核戦争に備えたシェルターというより、現状、彼らは一般市民に襲撃され、吊るされることを恐れている。不法移民に武装をさせて、私的な軍隊をつくって警備させているという話も聞く。つまり今のアメリカは、富裕層にとって、それほど危険な状態にあるというわけだ。

エプスタイン事件で暴かれた狂信カルトの児童虐殺

ＦＢＩの統計によれば、全米の子供の行方不明者数は年間約4万人とされている。また別の調査では、世界中で年間約８００万人の子供が行方不明になっているという。

チャバードというユダヤ教を名乗るカルトのニューヨーク本部に捜査が入った際、その地下にはトンネルがあり、中から血に染まったマットレスや雑巾、子供用の椅子などが発見された。さらに捜査を進めると、トンネルはニューヨーク市の各地に繋がっていて、その一つはジェフリー・エプスタインの屋敷の下を通っていたという。

２０１9年8月、獄中で自殺したことになっているエプスタイン。彼が所有していたカリブ海のエプスタイン島（リトル・セント・ジェームズ島）では、児童への性的暴行が行われていたと報じられるが、実態はそんなに甘いものではない。たしかに未成年児童を対象にした買春も行われてはいたが、それよりももっと重大な事件が起きていた。

夜な夜なエプスタイン島に集まっていたエスタブリッシュメントたちは、3歳、4歳の小児たちを拷問にかけ、惨殺していたのだ。この件については公表こそされていないものの、証拠は山ほど出ている。

2023年7月にアメリカで公開された映画『サウンド・オブ・フリーダム』は、米政府の元特別捜査官による実話として小児性愛や人身売買について描いた作品だった。大手マスコミはこの映画を封印しようとし、実際に何年か公開が延期されたが、いざ公開されると大ヒットとなった。多くの米国民にとって、エプスタイン事件のような人身売買犯罪が身近なものであることを証明した。

米政府の発表では、バイデン政権が発足した2020年1月から2023年7月の間に約8万5000人の難民の子供が行方不明になっているという。それらの子供の多くは驚くことに、親と一緒ではなく単身で入国したことになっている。

それとは別に、アメリカの退役軍人のダグラス・マクレガー元大佐は「ウクライナで6万人の子供が行方不明になった」と証言している。

日本にも無縁の話ではない。2021年に発覚したベビーライフ事件では、日本の子供たちがアメリカやカナダなどへ養子縁組に出されたのち、行方知れずになっていることがわかっている。私の講演会に寄せられた告発によると、日本はディープ・ステートから課せられたノルマとして、年間1万6000人の子供を提供しなければならないのだという。

ではディープ・ステートの連中は子供たちを集めていったい何をしているのか。

一つは生贄の儀式だ。国際的な有名人や国際的な指導者の多くは悪魔崇拝者であり、子供を生贄として悪魔に捧げる儀式を頻繁に行っている。

日本人の感覚からするとまったく信じがたい話だろうが、歴史的に見てもそのような儀式はたしかに行われてきた。『旧約聖書』の「創世記」にも、神から子供を生贄にすることを命じられる一幕がある。ギリシャの歴史学者も、フェニキア族やカナン族が子供を生贄にする慣習があるとする記述を残している。考古学の発掘現場からたくさんの子供の遺骨が出てきた事例も数多くある。

ディープ・ステートたちは、今はユダヤ教やキリスト教、イスラム教などの信者のフリをしているが、おおもとをたどれば、ハザール王国の支配層だ。彼らは、9

世紀頃に生存戦略としてユダヤ教徒になったものの、それ以前は悪魔を崇拝する古代カルト宗教の信者だった。それが現代にまで受け継がれているのだ。

つまり、世界の支配者層たちの背後にはカルト宗教が存在しているということだ。

1996年にベルギーで発覚した「マルク・デュトルー事件」は、表向きには少女拉致監禁・殺人事件とされているが、背後には富裕層向けの小児性愛ネットワークの存在があったとされる。主犯格のマルク・デュトルーも裁判で「犯行は組織への女性調達のため」と主張した。

マルク・デュトルー事件の被害者は、発覚当時6名とされたが、実際にはもっと多くの少女が被害にあったと見られている。多数の行方不明者がいることからすると、ただの売買春事件とはとても思えない。

悪魔儀式の生贄の他に、もう一つカルトの連中が子供を求める理由がある。

拷問にかけることで子供たちの脳内にアドレノクロムが分泌される。アドレノクロムは、強烈なアドレナリンの酸化で生成される化合物で、これに若返りと長寿の効果があるとカルトの間では信じられている。それを摂取するために子供たちを殺しているのだ。

以前、アンソニー・ウィーナーという米民主党の下院議員が、自分の陰部の写真を未成年にメールで送ったことで逮捕され、証拠品としてパソコンを没収された。そのパソコンの中には「保険ファイル」と書かれたものがあって、そこにはウィーナーの妻フーマ・アベディンの動画が残されていた。アベディンはヒラリー・クリントンの側近である。

問題の動画を私も見たことがあるが、そこにはヒラリーとアベディンが少女を拷問にかけ、顔の皮膚を剥がし、最後に脳の真ん中にある松果体を食べる姿が映されていた。

なお、この動画を発見したニューヨーク市警の12人のうち9人が怪死し、3人はなんとか逃げて身を潜めているという。

エプスタインの顧客名簿であるエプスタイン文書に名前を記された世界のトップエリートたちの多くは、このアドレノクロムを求めてエプスタイン島に集まっていた。アドレノクロムは不老長寿の効果だけでなく、強烈な中毒性があると聞く。また、こうした行為は、お互いに秘密を共有することで関係性を深めたり、「秘密の暴露」を脅しに使ったりする目的もあった。

問題なのは、欧米も日本も、こんな子供を生贄にするようなカルトの連中、ディープ・ステートに乗っ取られているということだ。

トランプが「ディープ・ステートを倒す」という言葉の裏には、もちろん「狂信カルト」を倒すという意味も含まれているのだ。

終章

「もしトラ」後の世界と希望の未来

世界の再編と支配者の入れ替わり

これまで世界全体を支配してきたディープ・ステートの衰退が明らかになった今、これからの世界はどのような勢力が覇権を握るのか？

この疑問に対し、いくつもの情報源が共通して、「どこか一つの勢力が覇権を握るのではなく、多極的な世界運営へ移行していくだろう」と答える。

情報を総合すると、世界は次の7つくらいの区域にまとまっていくと考えられる。

・北米＋南米
・ヨーロッパ＋ロシア
・アフリカ
・イスラム圏
・インド

・中国
・中国を除く東アジア

アメリカとカナダが合体した北米新国家。南米大陸がまとまった南米経済圏。ロシアとEUが合体した新・欧州連合。これにイギリスも加わるのか、あるいはイギリス独自でコモンウェルス（かつて大英帝国の支配下にあった56カ国）の連合体の繋がりを強化していくのか。現段階でイギリスがどちらの道を選ぶのかは不明だが、コモンウェルスの象徴だったエリザベス女王の崩御によって、イギリスの求心力がなくなっているのは確かである。

エジプトを除くアフリカ各国がまとまったアフリカ共和国。

エジプトとアラブ諸国によるアラブ圏、トルコが中心となってイスラエルを含む周辺国がまとまるトルコ圏、イランを中心とするペルシャ圏、この3つからなるイスラム連合。

インド、中国はそれぞれ単独で区域となる。そして日本を含む東アジア（中国を除く）。オーストラリアやニュージーランドなどのオセアニア地区はコモンウェルス、北米新国家、東アジアのいずれかを選択するものとみられる。
現在の国家の枠組みは当面残るだろうが、8～9の区域のそれぞれが一つの経済圏や生活圏を形成し、区域代表によって世界が運営されていくことになる。

そして、その新体制の下に、世界は大規模な地球改善プロジェクトを進めていくことになる。ただし、それを始めるより先に、〝欧米の大掃除〟を完全に終わらせる必要がある。

これについて、ロシアのFSB筋などは「2024年中に世界の問題児であるアメリカと、その司令部のイスラエルが消滅する」と予測している。

実際、ロシアはシリアで大部隊を編成してイスラエルへの侵攻の準備を進めていて、他の中東の国々も「大掃除」を全面的に支持している状況だ。

また、イエメンの親イラン武装組織フーシ派もロシアと足並みを揃える。フーシ派はアメリカとイスラエルを標的にした商船攻撃を活発化させ、事実上紅海とスエズ運河を封鎖している。同時に、イランのIRGC（イスラム革命防衛隊）は、米海軍に対してペルシャ湾からの強制退去を命じている。

ペンタゴン筋によると、バイデン政権やイスラエルのテロ戦争派を排除する勢力の一角である米軍良心派は、ＩＲＧＣの命令に応じることになるという。そうなればイスラエルのネタニヤフ政権が降参するのも時間の問題だ。

またウクライナ戦争において、西側欧米勢がすでに完全敗北していることは、先に述べたとおり公然の事実。これらすべてのことからもディープ・ステート＝ハザール・マフィアの劣勢は明らかだ。既存体制の権力者らは、ドミノ倒しのように次々と失脚していくことになる。

バチカンのカルロ・マリア・ヴィガノ枢機卿によると、イスラエルの諜報機関であるモサドは「欧米政府要人の性的児童虐待や拷問の場面」を映像に記録し、長年にわたって脅迫材料として使ってきたという。欧米の指導者らが、ディープ・ステート主導のパンデミック騒動時の有害ワクチン接種を自国の国民に強制していたのも、この脅迫によるものだ。

ダグラス・マクレガー元米軍大佐は「イスラエルのネタニヤフ首相がアメリカの本当の大統領だ」と明言しており、そのネタニヤフが目に見える形で失脚した時、世界体制の刷新は最終局面を迎えることになる。

粛清される悪魔崇拝エリートと支配者権力の崩壊

近い将来ブラック・スワン的なイベントが起きる可能性はきわめて高い。ブラック・スワンとは直訳すると「黒い白鳥」で、英語圏では「非常に稀な予期せぬ事態」かつ「実際に起きると破壊的衝撃を与える出来事」のことを指す言葉で、金融・経済・社会情勢などに関して使われる。実際、2024年に入ってから、ブラック・スワンの予兆を思わせる事象がいくつも起こっている。

その同日には「Q」を名乗るアメリカの反体制グループのサイトに「REVELATIONS（黙示録＝世界の終末）」の〝予告〟がアップされた。

欧米の改革勢力による、ディープ・ステート＝「悪魔崇拝を信奉する欧米エリート」の粛清も加速している。2024年の年明けから約3カ月間だけでも多くの超エリートたちが、緊急入院や退位、死亡などの理由で表舞台から姿を消した。

個別の状況は先に述べたが、チャールズ英国王、ウィリアム皇太子、キャサリン皇太子妃、カミラ王妃、ヨーク公爵夫人セーラ（アンドルー王子の元妃）、エディンバラ公爵エドワード王子、トーマス・キングストン（マイケル・オブ・ケント王子の娘婿でフリーメイソンの幹部）、ジェイコブ・ロスチャイルド、ナサニエル・ロスチャイルド、ノルウェー国王ハーラル5世、デンマーク女王マルグレーテ2世、ロイド・オースティン米国防長官、ミッチー・マコーネル米共和党上院院内総務……といった面々だ。

彼らの共通点は「子供を拷問して生贄にする悪魔崇拝の儀式」に参加していたこと。欧米改革勢力による裏の活動は、悪魔崇拝エリートの最後の一人が粛清されるまで続くことになる。

粛清されたエリートは悪魔崇拝者たちだけではない。

CIA筋によると、ディープ・ステートの最高幹部だったジョージ・ソロスが2017年に殺害されたのち、グーグルの創業者ラリー・ペイジがその地位を引き継いたという。しかし現在、ペイジは2021年に移住したフィジー島で目撃されたのを最後に雲隠れしてしまった。

また2024年2月に死亡が発表されたジェイコブ・ロスチャイルドが、実際は

2017年に死亡していたというのは前述のとおりだが、これには入り組んだ事情がある。実際の死亡原因はジェイコブの屋敷近くの上空で発生したヘリコプターと小型機の衝突事故であった。この時、マスコミでは「4人が死亡した」と報じるだけで、そこにジェイコブが含まれていることは明かされなかった。莫大な利権の相続問題があるため、その結論が出るまではジェイコブの死を明かすことができなかったのだ。

MI6筋によると、2024年2月にジェイコブの死去が正式に発表されたことは「欧米金融システムの頂点の変化」を意味するという。これはロスチャイルド一族の利権の価値が著しく低下し、相続に大きな意味がなくなったことを意味している。

世界を支配していたエリートが次々と消されることは、革命的な出来事ではあるが、これらの粛清が終わった時、完全に新しい、今まで誰も経験したことのないような世界が生まれるのかといえば、それは少し違う。反ディープ・ステートである改革勢力をバックアップしているのは現体制と異なる別の王族であり、歴史的名家だからだ。彼らは古式ゆかしい伝統文化に則った価値観の持ち主たちであり、そのため改革後の世界は、昔のいいところを復活させながら、そこに新しいものをプラスアルファした形になるとみられる。

現在、「新しい思想」とされているポリコレやＳＤＧｓのような価値観については、「人種差別撤廃」や「持続可能な社会」といったものは新しい世界でも引き継がれるだろうが、いわゆるジェンダー問題については、行きすぎた部分は伝統的価値観に立ち返るだろう。

２０２０年、ローマ教皇フランシスコは殺され、教皇は役者に置き換えられた。その証拠として、役者のフランシスコがゴムのマスクを調整しているような動画が多数出回っている。

新しい教皇フランシスコは、それまでのカトリック教会の教義を１８０度変え、２０２３年12月、「同性カップルといった〝変則的〟なカップルにも祝福を与えることが許される」と宣言した。一方で「婚姻を男女間のものとするとの教義は維持する」とした。これらは、これまでのカトリック教会の主張とバランスを取るための、あいまいな宣言ではあったが、それでも従来の教会の思想からすると、かなり踏み込んだ内容には違いない。

だが、この発言以降、アフリカと南米のカトリック教会の組織は、バチカンから距離を置くようになった。教皇がLGBTなどのいわゆるポリコレ的思想を認めることに、ノーを突きつけた格好だ。

現状、カトリック信者のおよそ9割はアフリカと南米の人々であり、この両地域から距離を置かれることは、バチカンにとってはかなりの痛手になる。そのため近々に、これら教皇の宣言は撤回されることになるはずで、その際には教皇フランシスコの交代があるとバチカン筋は伝える。

そもそもポリコレやSDGsといったものは、ディープ・ステートの意向を反映して「人類管理」や「社会の混乱」を目的としてつくり出されたものである。新しい世界ではこういった思想についても、改めて見直されていくことになるだろう。

ディープ・ステート系国際組織の消滅と最後の〝悪あがき〟

ディープ・ステートによって管理されてきた国際連合などの国際組織も、これから先、大きく様変わりしていく。現在の国連はまったくお金がない状態で、電気代や家賃も払えず、2023年末には一時、ジュネーブ事務局は閉鎖されている。ニューヨークにある国連本部も開店休業状態だ。

なぜお金がないのかといえば、多くの国が国連分担金の支払いを拒否しているためだ。これはつまり、多くの国が、国連は分担金を払うほどの価値がないと考えていることの表れだ。

実際問題、国連はディープ・ステートの意向を世界に伝えるための機関にすぎない。決して世界をよくするために何かを決める機関ではなく、そのことを事実として各国が理解しているため、「分担金を払いたくない」という発想になる。

国連安保理事会の常任理事国、いわゆる拒否権を持っている国の顔ぶれをみれば、アメリカ、イギリス、ロシア、フランス、中国と、5カ国のうちの4つの国を欧米が占めている。ロシアは現在の価値観からすればやや異端ではあるが、白人というくくりでいえば欧米と同類だ。

現在の常任理事国は第二次世界大戦の戦勝国から選ばれた。それから80年近くが経った今となっては、とても世界情勢を反映しているものではない。アフリカからも、中東からも、南米からも常任理事国が出ていないのは、かなりいびつな枠組みで、世界全体を見渡した意思決定などできるわけがない。そんな国連は、もはや欧米以外の国々からすれば無用の存在と言ってもいい。

そのために、今の国連は世界から見放されている状態なのだが、日本の大手マスコミはそういう事実を表立って伝えようとしない。

同じことは他の国際機関、IMF、世界銀行、BISなどにも当てはまる。しかも、これらの組織は一般的に国際機関だと認識されているが、実際は民間の資金で成り立っているNGOにすぎない。ディープ・ステートの崩壊とともに、すべての国際的枠組みは、いったんリセットされることになる。

このような状況の一方で、ディープ・ステートによる最後の悪あがきといえる活動も確認されている。

CIA筋が伝えるところによると、ディープ・ステートはインドネシアで新たに発見されたスディルマン山脈の超大型金鉱山の利権を狙って、インドネシアのプラボウォ・スビアント国防相の大統領選挙出馬を全面的に支援。2024年3月には当選が発表され、同年10月に正式就任する予定だが、3月の選挙直後に「インドネシアがＯＥＣＤ（経済協力開発機構）加盟に向けた協議を開始する」ことが報じられた。ＯＥＣＤはそもそも西側欧米諸国の発展と救済を目的に設立された機関であり、その主導権はディープ・ステートが握っている。こうした動きからもスビアントを取り込んでインドネシアの金を奪おうという彼らの狙いは明白だ。

また金鉱脈が発見された地域は、以前からインドネシア政府からの独立を主張しており、これまでに激しい独立紛争が続いてきた。そこでディープ・ステートの意を受けたスビアントが大統領に就任後には「地域住民に対する大虐殺」を企んでいるとＣＩＡ筋は伝える。

政府と反政府組織の双方を支援することで内戦を起こさせるというのもディープ・ステートの常套手段であり、インドネシアを舞台にした新たな戦争が起きる危険性は十分に考えられる。

とはいえ、現在の状況からすると、10月のスビアント大統領誕生よりも先に、ディープ・ステートが崩壊している可能性のほうが高い。

ディープ・ステート崩壊の転機となった9・11を考えたのは、アメリカ人で、元チェス世界チャンピオンのボビー・フィッシャーだとする証言が米軍筋から聞かれる。

フィッシャーは冷戦下、ソ連の強豪を倒したことで、米国人初のチェス世界チャンピオンになり、国家的英雄と讃えられたが、32歳の時に王座を返上。以降、主に隠遁生活を送っていたとされる。だが、その足跡は不明な期間が長く、この時期、半ば強制的にディープ・ステートへの協力を求められていた可能性があるという。

しかし、フィッシャーはチェス王者時代から、自身がユダヤ系でありながら反米、反ユダヤ的な発言をたびたび繰り返すような人物だった。そこでディープ・ステートに表面上は協力をしながら、9・11の時にわざとこれが自作自演だとわかるような罠を仕掛けたのだ。

たしかに私も、9・11によって〝世界の真実〟に気づかされた一人である。9・11が自作自演だったとすると、いったい誰がそれをやっているのか？　なんのために事件を捏造したのか？　私はいろいろと考え、調べた。その結果、欧米の支配階級が恐ろしいたくらみを持ってこの事件を起こしたことに気づいた。そんな私のような人間が世界中で急増した。そして、闇に隠されていた真実はどんどん明らかになっていった。

これが最初からフィッシャーの仕組んだディープ・ステート潰しの計画だったとすれば、その先見性と天才性には驚かされるばかりだ。

アメリカが秘匿してきた「科学技術の解禁」

ディープ・ステート＝悪魔崇拝カルトの打倒は、世界で何千年と続いてきた「悪しき思想の排除」を意味する。それは「一神教の終わり」という言い方もできるだろう。

一神教のからくりは「神様を演じる者が独裁者として君臨し、その存在を隠しつつ、神様という抽象的な概念を信じ込ませて、〝神の意思〟という名目で大衆を支配する」ことにある。

その起源は、紀元前2000年頃の古代バビロニア王国の王制に用いられたバビロニア式独裁体制で、その古代の支配システムが、世界で延々と続けられてきたのだ。

それが崩壊することは欧米人の感覚からすると、相当ショッキングな出来事となる。無理やり日本に当てはめるならば、天皇家がなくなるようなことだと言えるかもしれない。それほど根本的かつ過激な変革が、これから起きようとしている。「西洋文明そのものの変革」と言ってもいいだろう。

おそらく2024年のうちにすべてが壊れ切り、カオスの時代がやってくる。そこから短くても1年、場合によっては数年にわたって世界の混乱は続くだろう。だが、ある時を境にして、急激に世界は好転していく。

ディープ・ステートが崩壊することには、これまで述べてきたこと以外にも、大きな利点がある。それは、アメリカが秘匿してきた「科学技術の解禁」だ。

アメリカの科学者たちのコミュニティでは、国家安全を理由に封印されたパテント（特許）が6000以上あるとされる。それらの技術は、ある程度まで実現可能になっていながら、ディープ・ステートが独占するために秘匿されてきた。だがディープ・ステートの崩壊とともに他国にも開放されることになれば、世界の科学は一気に進歩していくことになり、それと並行して人々の生活も一変することになる。

私がCIA筋から聞いた話では、すでに2パターンの反重力技術が完成しているという。一つは、水銀に特殊なやり方で大量の電気エネルギーを加えるというもの。もう一つは、磁石のマイナス極とプラス極をある技術によって合体させて、そこに高出力の電気を流すというもの。これらによって重力が反転する、すなわち反重力状態を発生させることができるという。

この反重力技術が使われているのが、いわゆる「空飛ぶ円盤」で、これが一般公開されれば、ドラえもんのタケコプターのような道具を使って個人の移動も可能になるだろう。

また1000歳まで生きられる長寿の技術が解禁されるとも聞く。科学的施術によって加齢という概念がなくなり、理論上は若い姿のままで1000歳まで生きられるというのだ。

現在は実験段階であり、実際にどれだけの年数を生きられるかは未知数だが、人類が相当な長寿になることは間違いない。デイヴィッド・ロックフェラーやヘンリー・キッシンジャーがいずれも100歳以上の高齢まで生きることができたのは、この技術の一部使っていたためだとされる。

遺伝子組み換えによる「人ゲノム編集」はすでに身近な技術となっていて、「デザイナー・ベイビー」と呼ばれる遺伝子操作をした能力の高い子供もすでに中国で誕生している。だがディープ・ステートが隠す遺伝子操作技術はそれを遥かに上回る。まるで漫画のように、人間が他の生物の能力を獲得することが可能になるというのだ。

鳥のように空を飛ぶとなると、大幅に体重を減少させなければならないため、さすがに人間の原型をとどめることは困難だが、鳥の視力を手に入れれば、現在の何倍も先まで見渡せるようになる。イルカの能力を獲得すれば、水中生活も可能になるだろう。

脳の改造はさらに容易で、実際に実験用マウスの脳内にDNA注射を打って、脳内に快楽分子の分泌を増やす実験がすでに行われており、この実験でマウスは「何をしていても幸せ」という状態になったという。ディープ・ステートは、この人工快楽技術を人間に使って、どんな過酷な状況にも耐えられる兵士や奴隷を生産することを目論んでいたとされる。

新型コロナウイルスのパンデミックで、初めて実用化されたmRNAワクチンは、人間の遺伝子レベルにまで作用する性質を持つ。ディープ・ステートはこのm

RNAワクチンの特異な性質を利用して、世界中の一般大衆を精神改造し、「永遠に従順な家畜」を大量生産する計画だったという。

いかなる革新的技術であっても、それを使う目的や使う人間の意思によって、善悪どちらに転ぶかはわからない。

〝第三の道〟に進む世界を導くのは日本

変革していく世界のなかで、我々の目に見えている事実は、世界の多くの国がBRICSや上海協力機構に加盟しようとしていることであり、世界の覇者を気取ってきたG7が、実は世界から取り残され、沈没しつつあるということだ。

タッカー・カールソンはロシアへ行って「すごく街がきれいで、ホームレスもいない。なぜアメリカはこんなふうになっていないのか」と素朴な疑問を呈していた。

西側の情報しか見ていない人たちは、そんなカールソンの動画を見ても「ロシアにだまされている」「フェイクニュースだ」と否定するばかりだ。しかし、まずは目の前の事実を素直に見ることから始めなければ、いつまでも支配者層の奴隷からは抜け出せない。

「アメリカの裏庭」といわれる南米において、ニカラグアは2022年、ロシア軍兵士や航空機の駐留を認める大統領令を発布した。これも世界が変革する一つの兆しだ。

東西冷戦が終結してから30年以上もの間、アメリカの一極支配だったところから、間もなくアメリカという国がなくなって、世界のパワーバランスがひっくり返る。これを象徴として導くのがトランプとなる。

欧米の支配階級は、2000年のジョージ・W・ブッシュとアル・ゴアの大統領選挙の時に、いわゆるテロ戦争派と温暖化派の2つの派閥に分裂した。そしてテロ戦争派が暴走して自滅すると、エリザベス女王の率いる温暖化派が優勢になっていった。現在、ディープ・ステートは、トランプを支える米軍良心派を中心にした勢力に駆逐されつつあるが、それはテロ戦争派とカルト勢力が中心であり、温暖化派は少なからず影響力を残していくとされる。

地球温暖化対策を推し進めたのはこの温暖化派だが、そもそもトランプが主張し続けているように、二酸化炭素による温暖化自体がデタラメな話だった。その嘘がバレはじめた現在、支配者層からは、新しい方針が打ち出されている。

それは「生命を増やす」というもので、簡単に言えば、人間も動物もその生命の量とバラエティー（多様性）を増やすということである。

これまでの支配者層のやり方とは真逆のようで、何か裏があるのではないかと勘繰りたくなるだろう。しかし邪悪なカルトに染まった勢力が排斥された時、これまで支配者層の中に巣食っていたカルト勢力による悪行を反省することで、劇的な考えの転換が起こるのは不自然なことではない。

強盗が銃を向けて「カネを寄越せ」というのがテロ戦争派だとすると、ちょっと品のいい詐欺師が温暖化派だ。手法はそれぞれ異なるものの、悪質であることに違いはない
「生命を増やす」というのは、それとはまったく別の考えで、真の世界の融和を目指すものである。この支配者層から出た新しい方針を、トランプを象徴とする新しい世界の指導者たちも協力して推し進めていく。

20世紀に入ってから人間による様々な活動によって、地球上では恐竜の絶滅期と

同レベルでものすごい数の生物の種が減っている。これを本当の意味での地球の危機と受け止め、二酸化炭素うんぬんと、ごまかしの話をしていないで、本当の危機に対応していこうとする方針が支配者層から打ち出されたと聞いている。

そもそも二酸化炭素を減らすというのはナンセンスで、二酸化炭素の排出では温暖化などしない。それは世界中の多くの科学者たちの指摘するところだ。我々は生き物として、二酸化炭素をベースにして生きている。二酸化炭素を増やすと植物は増え、むしろ環境はよくなる。二酸化炭素の排出をゼロにすれば、産業はおかしくなるし、農業もできなくなり、我々の生活は破綻する。

そこで人間の生活も、自然環境も同時に守っていこうという〝第三の道〟が登場した。これからは、その目標のために、世界が共同して、産業計画や環境保全計画を立てていくことになる。

これまでの世界のエリート層は人口爆発が地球の危機に繋がると考えていた。科学者レベルでも同様に考えられていたが、最近の研究では、現在の人口増加程度なら問題はないこともわかってきた。

世界の80億人をすべて1カ所にギチギチに集めれば、大体ニューヨーク市ぐらいの広さで収まる。世界の80億人全員が自給自足できる程度の農地を与えた場合でも、テキサス州ぐらいで収まる。これまで世界を管理していた支配者層は、自分たちの富のことばかりを優先させていたため、地価高騰や食糧危機が深刻な問題になっていたが、新しい指導者に代わってうまくコントロールしていけば、現在、言われている世界の問題のほとんどは解決できる。

ＩＭＦが、アフリカのある国に対して「援助のために」とお金を貸しても、その大半はスイスの銀行へ流れ、その銀行を支配しているディープ・ステートに吸い上げられていった。そして、そのおこぼれをもらう一部のアフリカの大富豪だけが遊んで暮らし、国家として借金の返済ができなくなると、ＩＭＦは「代わりに農地をよこせ」と、容赦なく奪っていった。そうして、今まで自給自足をしていた農家が追い払われ、欧米向けの綿糸など、住民の食糧にならない、金儲けだけを目的とした農業が行われてきた。そんなアフリカの困窮生活の原因が、人口爆発ではなく、先進国による過度な収奪であったことをようやく世界が認めた。

ここで読者に伝えておきたいことがある。

それは、第三の道の好例として取り上げられるのが、実は日本であるということだ。

日本はこれほど近代化しているにもかかわらず、東京都心の日比谷公園でも多くの野生動物が見られる。だから東京のように自然環境を守りつつ、しかも先進的で人間らしい暮らしができるように、世界を運営していこうというのだ。

こうした議論を積極的にリードしていくことができたなら、今後、日本からの発信によって、世界を変えることができる可能性は高い。私はそう考える。

PROFILE

ベンジャミン・フルフォード ● Benjamin Fulford

ジャーナリスト、ノンフィクション作家。カナダ・オタワ生まれ。1980年に来日。上智大学比較文化学科を経て、カナダのブリティッシュコロンビア大学を卒業。その後、再来日し『日経ウイークリー』記者、米経済誌『フォーブス』アジア太平洋支局長などを経てフリーに。『ヤクザ・リセッション』(光文社)、『暴かれた9.11疑惑の真相』『トランプ政権を操る「黒い人脈」図鑑』(ともに扶桑社)、『超図解 ベンジャミン・フルフォードの「世界の黒幕」タブー大図鑑』『図解 世界「闇の支配者」とコロナ大戦争』『世界「闇の支配者」シン・黒幕頂上決戦』(すべて宝島社)など著書多数。

もしトランプが米大統領に復活したら
アメリカによる日本支配の終焉

2024年5月10日　第1刷発行
2024年8月21日　第4刷発行

著　者　ベンジャミン・フルフォード
発行人　関川 誠
発行所　株式会社宝島社
〒102-8388　東京都千代田区一番町25番地
電話（営業）03-3234-4621
（編集）03-3239-0927
https://tkj.jp
印刷・製本　サンケイ総合印刷株式会社

ISBN 978-4-299-05408-1